L'ATLAS
GÉOPOLITIQUE
& CULTUREL

DU PETIT ROBERT DES NOMS PROPRES

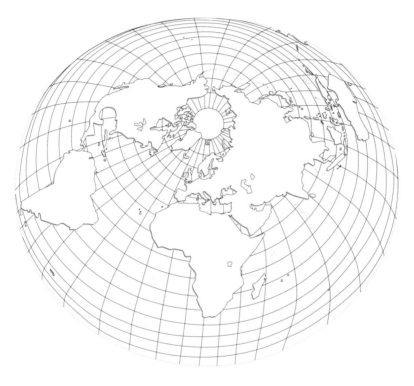

80 cartes

Les grands enjeux démographiques, économiques, politiques,
sociaux et culturels du monde contemporain.

DICTIONNAIRES LE ROBERT · 27, RUE DE LA GLACIÈRE 75013 PARIS

Direction générale
Pierre VARROD

Conception et direction éditoriale
Carl ADERHOLD

Conseil éditorial et rédaction
Patrick ÉVENO

Secrétariat de rédaction
Michèle LANCINA

Secrétariat d'édition
Nadine NOYELLE

Documentation
Laurent NICOLAS, Nadine NOYELLE

Iconographie
Nadine GUDIMARD

Direction artistique
Gonzague RAYNAUD

Cartographie
Société CART

Couverture
CAUMON

Conception et réalisation
Pierre TAILLEMITE

Les Dictionnaires Le Robert remercient les personnes suivantes pour l'aide bienveillante qu'elles ont apportée à cet ouvrage sur tel ou tel point particulier :
Anne CHARRIER, Pierre-Alain COFFINIER, François HUEBER, Jean RADVANYI, Michel ROUX, Michel VAN LEEUW.

Crédits photographiques :
Couverture : © Photonica
Quatrième de couverture : Néfertiti © Arch. Smeets ; Canova © Dagli Orti ; Masque indien © Musée de l'Homme, Paris ; Opéra de Paris Bastille © Dagli Orti ; Jeune fille massaï © Charles Lénars ; La mer Rouge © USIS-DITE
Documents intérieurs : pp. 6-7 : DR ; pp. 10-11 : Paysage d'Oklahoma, E.-U. © Stone/Ch. Doswell ; pp. 16-17 : Bombay © Hoa Qui/Globe Presse/A. Evrard ; pp. 30-31 : Bourse de Düsseldorf © Hoa Qui/Zefa/Rosenfeld ; pp. 38-39 : Satellite © Stone/TSW Shoot ; pp. 52-53 : Globes terrestres © Stone/M. Romine ; pp. 62-63 : Famille marocaine © Stone/R. van der Hilst ; pp. 70-71 : Étudiantes vietnamiennes © Stone/K. Su ; pp. 84-85 : Échangeur d'autoroutes, E.-U. © Stone/M.R. Wagner ; pp. 98-99 : Jeune femme européenne © Gamma/G. Saussier ; pp. 124-125 : Saint-Pétersbourg © Hoa Qui/B. Wojtek ; pp. 130-131 : Centre culturel J.-M. Tjibaou, Nouméa © Sygma/J. Langevin, avec l'accord de Renzo Piano Building Workshop Architects.

Préface

Cet atlas a pour visée de compléter le *Petit Robert des noms propres*, en fournissant des aspects synthétiques qu'un ouvrage alphabétisé ne peut fournir. Source de tout répertoire de noms propres, la structure de *notoriété*, évoquée par Alain Rey, connaît en effet une rapide transformation. Son éclatement, voire sa dilution, en rapport avec l'accélération de la circulation de l'information, condamne le dictionnaire soit à s'engager dans une course-poursuite perdue d'avance avec les nouveaux médias, soit à se replier sur les bases traditionnelles du savoir. Mais il prend alors le risque de voir son contenu s'éloigner des centres d'intérêt de l'utilisateur contemporain. Afin de pallier cet inconvénient, le principe d'un atlas nous est apparu comme un moyen de jeter une passerelle entre la culture développée dans le dictionnaire, culture ordonnée mais statique, et une actualité en mouvement, mais qui doit être replacée dans son contexte.

L'atlas du *Petit Robert des noms propres* tente un tour du monde en 80 cartes, détaillant les grands enjeux, mondiaux dans une première partie, puis régionaux dans une deuxième partie. Il s'agit de montrer les évolutions à l'échelle planétaire, tant climatiques ou démographiques que politiques ou culturelles.

Les cartes de cet atlas ont été conçues sous un angle évolutif. Ainsi, le planisphère politique qui ouvre l'ouvrage en recensant tous les États, présente également une localisation de l'essor de la démocratie au XXe siècle. Cette volonté dynamique se double d'un souci de mise en perspective, parfois historique, la carte des grandes puissances coloniales mettant en évidence les impérialismes dont l'héritage continue de peser sur le devenir de nombreux pays d'Afrique ou d'Asie. L'aspect culturel est également représenté. Ainsi, l'expansion des télécommunications (Internet, le téléphone...) est mise en parallèle avec le taux d'alphabétisation et la production de livres, afin d'esquisser une géographie de la culture. Ou bien, le problème de la famine en Afrique est mis en relation avec les avancées de la désertification. Un lecteur attentif, en voyageant parmi ces cartes, pourra voir s'opposer les zones en crise (corne de l'Afrique, Afrique subsaharienne, Caucase, Asie sèche) et les zones prospères. La géographie physique n'a pas été oubliée, dans ses effets sur la géographie humaine, et les ressources en eau ou les zones d'accidents climatiques ont été cartographiées.

Une attention toute particulière a été accordée aux sources d'information. Grâce à Laurent Nicolas et à Nadine Noyelle, les rapports les plus récents de l'ONU et de ses divers organismes (FAO, OMS, HCR...) ainsi que ceux de l'Organisation mondiale du commerce ont été utilisés pour établir les cartes. De même les zones de pauvreté en Grande-Bretagne ont été répertoriées à partir du rapport du ministère britannique de l'Économie et des Finances paru en mars 1999.

Des graphiques ont été ajoutés, le cas échéant, afin de fournir des éléments quantifiables.

Nous avons décidé avec CART, qui a réalisé la cartographie de cet atlas, d'utiliser deux types de projection selon la nature du sujet traité. La projection « équivalente elliptique », qui conserve les rapports de surface de la terre, a été retenue pour traiter les sujets d'échelle mondiale (les grandes religions...). La projection dite « aphylectique équidistante », centrée sur le pôle Nord, a été choisie pour représenter les échanges et les relations économiques (les flux migratoires...). Ainsi la carte des principales places boursières est centrée sur le pôle afin de mieux faire percevoir l'extrême fluidité des capitaux d'une bourse à l'autre, tandis que la projection équivalente elliptique a été retenue pour rendre compte du poids de l'endettement de chaque pays. Des anamorphoses ont également été utilisées, afin de visualiser des surfaces proportionnelles à des quantités statistiques et non plus aux réalités géographiques, ce qui permet de saisir immédiatement le thème traité (par exemple l'évolution de la population, le poids de la Chine et de l'Inde).

Pour chaque sujet traité, un court texte rédigé par l'historien Patrick Éveno, souligne les principaux points que la carte illustre et apporte un regard synthétique sur la question.

Enfin, la rubrique « Consulter... » invite le lecteur à se reporter aux articles du *Petit Robert des noms propres* où il pourra trouver des informations complémentaires sur le thème de la carte. Par ailleurs, de nombreux renvois ont été ajoutés, allant des entrées du dictionnaire vers l'atlas.

De cette manière, nous espérons que l'ouvrage remplira mieux encore sa véritable fonction, qui n'est pas de coller à l'actualité immédiate, comme le fait un journal, mais implique de créer des liens entre le temps bref de l'événement et celui des évolutions lentes. La carte des minorités en Europe centrale et orientale, par exemple, donne un panorama des zones en bouleversement, tandis que les articles du dictionnaire (auquel il est renvoyé depuis la carte) permettent de comprendre les clés historiques.

Ainsi, le *Petit Robert des noms propres*, fidèle à sa mission qui est d'expliquer le monde d'aujourd'hui en fournissant son indispensable arrière-plan, tente de favoriser un continuel va-et-vient entre le connu et l'inconnu, le proche et le lointain.

Carl ADERHOLD

Liste des abréviations

A.	Arménie
A-ÉF	Afrique-Équatoriale française
AFG.	Afghanistan
ALB.	Albanie
Alena	Accord de libre-échange nord-américain
ALL.	Allemagne ; allemande
AND.	Andorre
Ansea	Association des nations de Sud-Est asiatique
Anzus	Conseil du Pacifique
A-OF	Afrique-Occidentale française
APEC	Coopération économique Asie-Pacifique
AUT.	Autriche
AZERB.	Azerbaïdjan
B.	Burundi
B.F.	Burkina Faso
B.-H.	Bosnie-Herzégovine
BANGL.	Bangladesh
BEL.	Belgique
BÉN.	Bénin
BRIT.	britannique
C.	Croatie
Caricom	Communauté des Caraïbes
CEDEAO	Communauté économique pour le développement des États de l'Afrique de l'Ouest
CEI	Communauté des États indépendants
CEMAC	Communauté économique et monétaire d'Afrique centrale
CENTRAFR.	République centrafricaine
Dan.	Danemark
É.-U.	États-Unis
EAU	Émirats arabes unis
Fr.	France
FRANç	française
G.	Géorgie
G.-É.	Guinée-Équatoriale
GA.	Gambie
GU.-BISSAU	Guinée-Bissau
H.	Hongrie
HA.	Haïti
hab.	habitant
HOLL.	hollandaise
J.	Jamaïque
JORD.	Jordanie
KIRG.	Kirghizstan
L.	Luxembourg
LI.	Liechtenstein

M	million
M.	Malawi
MA.	Macédoine
MCCA	Marché commun Centre-américain
MO.	Monaco
Nlle	Nouvelle
OCC.	occidentale
OCDE	Organisation de coopération et de développement économiques
OMC	Organisation mondiale du commerce
ONU	Organisation des Nations unies
Opep	Organisation des pays exportateurs de pétrole
ORIENT.	orientale
Otan	Organisation du traité de l'Atlantique Nord
Otase	Organisation du traité de l'Asie du Sud-Est
OUZ.	Ouzbékistan
P.-B.	Pays-Bas
PNB	Produit national brut
PORT.	portugaise
R.	Rwanda
R.F.Y.	République fédérale de Yougoslavie
R.-U.	Royaume-Uni
RDA	République démocratique allemande
RÉP.	République
RÉP. DÉM.	République démocratique
RÉP. TCH.	République tchèque
RFA	République fédérale d'Allemagne
S.	Slovénie
S.L.	Sierra Leone
SACD	Communauté de développement de l'Afrique australe
SACU	Union douanière de l'Afrique australe
SLOV.	Slovaquie
St	Saint
Ste	Sainte
ST-M.	Saint-Marin
T.	Togo
TADJIK.	Tadjikistan
TURK.	Turkménistan
UEMOA	Union économique et monétaire de l'Afrique de l'Ouest
UMA	Union du Maghreb
Visegrad	Accord centre-européen de libre-échange

Pour les cartes « … dans le monde »

La valeur des importations est recensée CAF (coût, assurance, fret) compris, celle des exportations est recensée FAB (franco à bord). En conséquence, la valeur des importations d'une zone est supérieure à la valeur des exportations de la zone partenaire. Par exemple, les importations africaines en provenance d'Amérique du Nord sont comptabilisées pour 14 milliards de dollars, mais l'Amérique du Nord compte 13 milliards de dollars d'exportation à destination de l'Afrique.

Les problèmes ne se posent plus aux hommes qu'à l'échelle planétaire : depuis plus de trois siècles, la mondialisation des échanges culturels aussi bien qu'économiques, la multiplication des contacts entre les peuples et les civilisations ont fait de tous les humains les citoyens d'un monde. Siècle de l'épanouissement de la modernité technique et scientifique, le XXe siècle fut également celui de la barbarie et des massacres de masse perpétrés au nom de la race, de l'ethnie, de l'État ou du prolétariat. Mais ce siècle est aussi celui du triomphe de la démocratie. L'idéal démocratique, encore incomplet et perfectible, ne cesse de gagner du terrain. Après les désillusions engendrées par l'échec de l'alternative « communiste », le couple capitalisme-démocratie libérale est-il devenu incontournable ? Et il ne faut pas négliger la renaissance des nations sur la scène mondiale et le renouveau des questions identitaires, religieuses, sociales, régionales ou ethniques. La croissance des inégalités, à l'échelle locale, nationale ou planétaire, montre que le chemin est encore long vers un monde plus juste et plus solidaire, sachant prendre en compte l'ensemble des questions évoquées dans les cartes qui composent cet atlas.

PREMIÈRE PARTIE

Le monde en questions

Le monde politique

Depuis 1995, l'Organisation des Nations Unies compte 185 États membres. Avec la poursuite de la décolonisation et à la suite de l'éclatement de l'URSS et de la Yougoslavie, 27 nouveaux États ont été admis à l'ONU au cours des années 1990-1994. Certes, quelques « confettis » des derniers empires coloniaux sont encore appelés à proclamer leur indépendance, mais le nombre des États indépendants augmentera peu dans les années à venir.

État ayant établi une démocratie parlementaire à fonctionnement régulier, hors les périodes d'occupation étrangère.

- Avant 1914
- Entre 1918 et 1940
- Entre 1945 et 1989
- Depuis 1989

Échelle à l'équateur, centrée sur le 15°E.

0   2 000 km

Projection © CART

Au plan politique, le fait marquant du siècle demeure l'expansion du modèle démocratique. La planète comptait 14 États démocratiques avant 1914, 17 en 1938 et 54 en 1989. La dernière décennie du siècle, avec la fin du système communiste, et, par voie de conséquence de la guerre froide, a vu le phénomène s'amplifier considérablement : 37 nouveaux États, dont les institutions sont certes encore fragiles, sont venus s'ajouter à la liste.

La Terre et l'homme forment un couple solidaire, dont les rythmes diffèrent. Détachée du Soleil depuis environ 4 milliards d'années, la Terre s'est lentement refroidie, constituant à sa surface une croûte solide en évolution, dont les creux sont envahis par les océans. Avec son enveloppe atmosphérique, elle fournit aux espèces vivantes un lieu d'épanouissement unique dans le système solaire. Postérieur à la dernière glaciation du quaternaire, *Homo sapiens sapiens* est âgé de seulement 40 000 ans. Cette espèce a imposé sa marque partout où elle se trouvait, en tirant de la Terre des ressources nourricières et des matières premières pour son industrie. L'accroissement des connaissances techniques et scientifiques et l'expansion du nombre des humains ont multiplié les besoins et la mise en valeur des ressources naturelles.

Toutefois, l'écosystème terrestre recèle encore bien des mystères. Nos ancêtres ont pratiqué une gestion économe, mais parfois imprudente avec les défrichements et la déforestation ou les transferts d'espèces et, involontairement, de virus d'un continent à l'autre. La gestion dispendieuse pratiquée depuis la Révolution industrielle, avec ses émissions de gaz polluants et ses rejets de produits toxiques, pourrait conduire à l'épuisement des ressources et à la modification de l'écosystème terrestre. Les effets à long terme des pratiques industrielles étant mal évalués, le « principe de précaution » s'impose face aux modifications potentiellement irréversibles de l'environnement, qu'elles proviennent ou non de l'action et de l'imprudence humaines.

Aspects physiques

Risques naturels et accidents climatiques

La planète est agitée de mouvements complexes que les scientifiques commencent à comprendre. Le déplacement des plaques tectoniques engendre tremblements de terre, volcanisme et raz-de-marée. Les phénomènes d'échanges thermiques liés à l'interface clima-

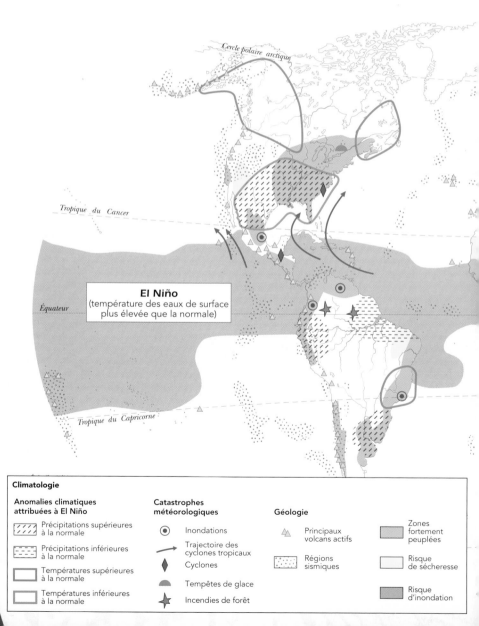

Cercle polaire arctique

Tropique du Cancer

El Niño
(température des eaux de surface plus élevée que la normale)

Équateur

Tropique du Capricorne

Climatologie

Anomalies climatiques attribuées à El Niño

Précipitations supérieures à la normale

Précipitations inférieures à la normale

Températures supérieures à la normale

Températures inférieures à la normale

Catastrophes météorologiques

⊙ Inondations

→ Trajectoire des cyclones tropicaux

◆ Cyclones

◖ Tempêtes de glace

★ Incendies de forêt

Géologie

△ Principaux volcans actifs

Régions sismiques

Zones fortement peuplées

Risque de sécheresse

Risque d'inondation

tique entre les océans et l'atmosphère créent de graves perturbations. Ainsi El Niño, augmentation de la température de l'océan Pacifique sud, réchauffe l'atmosphère intertropicale et contribue localement à des incendies de forêts (Indonésie, Philippines et Nordeste brésilien en 1997-1998) et à des inondations catastrophiques (Mexique et Pérou). Ce phénomène cyclique (tous les quatre à sept ans), est parfois suivi de La Niña, refroidissement des eaux de surface du Pacifique sud, qui, en accentuant la mousson, entraîne des inondations (Chine, Bangladesh en 1998-1999).

CONSULTER...

Afrique	Bangladesh	Chine	Mexique	Philippines
Amazonie	Brésil	Inde	Niger	Sahel
Asie	Canada	Japon	Pacifique	Soudan

Les ressources en eau

Les ressources en eau sont abondantes mais fort mal réparties sur la Terre. L'essentiel du stock d'eau, concentré dans les océans et les calottes glaciaires, est presque impossible à utiliser à cause du coût de transport ou de dessalement. Les humains doivent donc compter sur les ressources locales apportées par les précipitations, les fleuves ou les nappes phréatiques. Le coût élevé des infrastructures qui permettent le drainage, l'irrigation ou le traitement des eaux accroît les inégalités, les contraintes économiques renforçant les servitudes climatiques dues à l'aridité ou à l'irrégularité des précipitations, notamment en

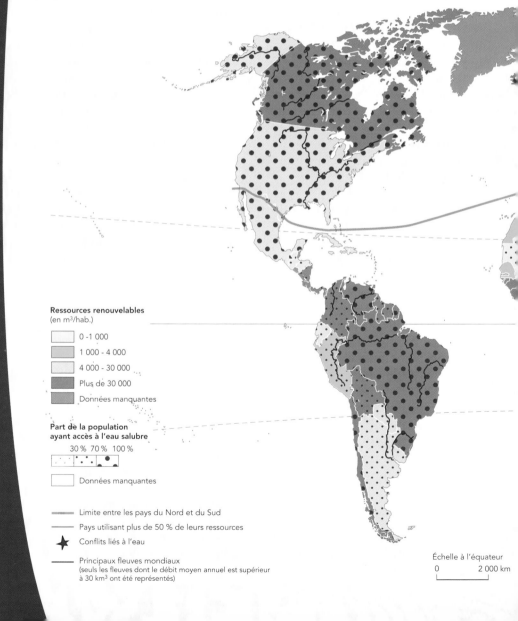

Ressources renouvelables
(en m³/hab.)

- 0 -1 000
- 1 000 - 4 000
- 4 000 - 30 000
- Plus de 30 000
- Données manquantes

**Part de la population
ayant accès à l'eau salubre**

30 % 70 % 100 %

- Données manquantes

- Limite entre les pays du Nord et du Sud
- Pays utilisant plus de 50 % de leurs ressources
- Conflits liés à l'eau

- Principaux fleuves mondiaux
(seuls les fleuves dont le débit moyen annuel est supérieur
à 30 km³ ont été représentés)

Échelle à l'équateur

0   2 000 km

Afrique subtropicale et dans la zone sèche de l'Asie. La salubrité de l'eau dans les pays pauvres et la pollution dans les pays riches, font de la maîtrise de cette ressource vitale un des grands enjeux du XXIᵉ siècle : un cinquième de l'humanité n'a pas accès à l'eau potable, dont la disponibilité, très élevée dans la zone équatoriale (Congo, Brésil) ou dans les zones froides (Russie, Canada), est plus faible dans les régions tempérées (Royaume-Uni, Allemagne) et devient un problème dans toute la zone aride qui traverse l'Afrique et l'Asie de la Mauritanie à la Mongolie.

Consulter...

Accidents industriels et pollutions récurrentes

L'influence de l'Homme sur les ressources naturelles de la planète est encore mal connue. Le réchauffement climatique, constaté au XXᵉ siècle, s'inscrit dans un cycle pluri-

1986 - Bâle
Rejet d'herbicides toxiques dans le Rhin

1976 - Seveso
Fuites de dioxine, risque de contamination, 700 personnes évacuées

Exxon Valdez **1989**

1979 - Mississauga
Explosion de chlore (accident sur rail), 220 000 évacués

Torrey Canyon **1967**
Amoco-Cadiz **1978**
Erika **1999**

1979 - Three Mile Island
Défaillance d'un réacteur nucléaire, 200 000 évacués

1978 - San Carlos
Accident lors du transport de propylène, 200 morts

1979-80 - Golfe du Mexique
Accident sur une plate-forme pétrolière, écoulement de pétrole pendant 9 mois

1984 - Mexico
Explosion de réservoirs de gaz, 500 morts

1992 - Sénégal
Explosion lors du transport d'ammoniac, 80 morts

1992 - Guadalajara
Explosion de gaz, 250 morts

1982 - Caracas
Incendie d'un stockage de pétrole, 101 morts

1983 - Tacoa
Incendie d'un stockage d'essence, 153 morts

Échelle à l'équateur
0   2 000 km

1984 - Cubatao
Explosion d'essence dans un pipeline, 500 morts

Rio de Janeiro

Émission de CO^2 en 1996
(tonne par personne)

0   1   5   10   15

Données manquantes

Les principales catastrophes écologiques

«Marée noire» provoquée par un pétrolier

Accident d'origine industrielle ou nucléaire

Consulter...

Bhopal
Seveso
Tchernobyl

millénaire, aujourd'hui perturbé par les conséquences de rejets polluants dans l'atmosphère. La dégradation de la qualité de l'eau et de l'air résulte soit de catastrophes écologiques, soit de pratiques récurrentes, agricoles et industrielles. Ces pollutions touchent tout le globe, notamment les États-Unis, l'Europe et la Chine, et font désormais l'objet de négociations politiques menées à l'échelle mondiale, sur la base d'un suivi des taux de CO_2 ou de SO_2.

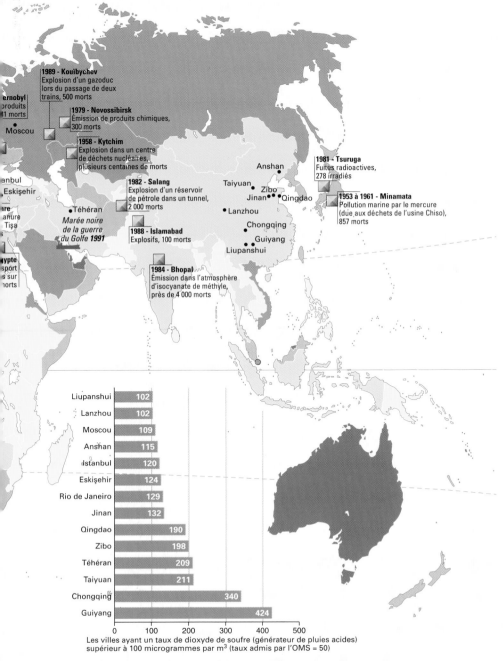

1989 - Kouïbychev
Explosion d'un gazoduc lors du passage de deux trains, 500 morts

ernobyl
produits
1 morts
Moscou

1979 - Novossibirsk
Émission de produits chimiques, 300 morts

1958 - Kytchim
Explosion dans un centre de déchets nucléaires, plusieurs centaines de morts

Anshan

1981 - Tsuruga
Fuites radioactives, 278 irradiés

anbul
Eskişehir

are
anure
Tişa

Taiyuan
Zibo
Jinan
Qingdao

1982 - Salang
Explosion d'un réservoir de pétrole dans un tunnel, 2 000 morts

1953 à 1961 - Minamata
Pollution marine par le mercure (due aux déchets de l'usine Chiso), 857 morts

Téhéran
Marée noire de la guerre du Golfe 1991

Lanzhou

1988 - Islamabad
Explosifs, 100 morts

Chongqing

Guiyang

Liupanshui

ypte
port
s sur
norts

1984 - Bhopal
Émission dans l'atmosphère d'isocyanate de méthyle, près de 4 000 morts

Ville	Taux
Liupanshui	102
Lanzhou	102
Moscou	109
Anshan	115
Istanbul	120
Eskişehir	124
Rio de Janeiro	129
Jinan	132
Qingdao	190
Zibo	198
Téhéran	209
Taiyuan	211
Chongqing	340
Guiyang	424

0   100   200   300   400   500

Les villes ayant un taux de dioxyde de soufre (générateur de pluies acides) supérieur à 100 microgrammes par m^3 (taux admis par l'OMS = 50)

La population mondiale, quelques centaines de milliers d'hommes au Paléolithique supérieur, s'est accrue à chaque période de mutation technique et sociale. Au Néolithique, entre le Xe et le Ve millénaire avant notre ère, l'invention de l'agriculture et de l'élevage (contemporains de l'écriture) permet d'atteindre rapidement 5 millions d'habitants. La conquête agricole, continue jusque vers 200 ap. J.-C., porte la population à plus de 100 millions. Un troisième cycle a commencé au XVIIIe siècle avec la révolution agricole et industrielle. La courbe de l'accroissement démographique prend alors une allure exponentielle qui provoque la crainte d'une pénurie alimentaire généralisée. Au XXe siècle, l'accélération se poursuit, la population mondiale quadruplant en s'élevant de 1,5 à 6 milliards. Mais le récent ralentissement du taux de croissance préfigure un début de maîtrise démographique.

Pourtant, les enjeux vitaux demeurent : nourrir les plus pauvres, améliorer le bilan sanitaire global, diffuser la contraception, ces exigences sont des impératifs pour faire progresser la qualité de vie des plus démunis, leur permettant d'accéder à la dignité humaine. La planète produit chaque année de quoi nourrir ses habitants, mais la répartition de ces richesses semble de plus en plus inégale, notamment dans les pays les moins avancés d'Afrique et d'Asie. Les pays riches, dont la population vieillit, vont-ils prendre conscience que les flux migratoires risquent de s'intensifier et que la croissance de villes démesurées conduit à la dégradation de la qualité de la vie ?

Population

La densité de population

Les 6 milliards d'hommes qui composent la population mondiale sont très inégalement répartis : près de la moitié de l'humanité est concentrée dans la zone de l'Asie des moussons, où la culture irriguée du riz a favorisé les fortes densités. Le deuxième foyer de peuplement, l'Europe et la Méditerranée, regroupe près d'un milliard d'habitants. La

Répartition de la population en 1990

Un point représente : 500 000 habitants

Agglomérations en millions d'habitants :

○ 1 à 2,4 millions

○ 2,5 à 4,4 millions

○ 4,5 à 7,9 millions

○ 8 à 14 millions

○ Plus de 15 millions

Évolution du taux de croissance de la population mondiale depuis 1700

Milliards d'habitants — Taux de croissance (% par an)

Échelle à l'équateur
0   2 000 km

diagonale de la sécheresse, qui court de l'océan Atlantique jusqu'à l'océan Pacifique, à travers le Sahara, la péninsule Arabique, l'Iran et l'Asie centrale, sépare les deux grands foyers de peuplement. L'Afrique, l'Amérique et l'Océanie ne connaissent que des peuplements parcellaires, surtout le long des littoraux.

Saint-Pétersbourg
Moscou
Istanbul
Athènes
Alexandrie
Bagdad
Le Caire
Khartoum
Téhéran
Karachi
Bombay
Delhi
Dacca
Calcutta
Madras
Bangkok
Shenyang
Beijing
Tianjin
Séoul
Grand Tōkyō - Yokohama
Osaka
Shanghai
Taipei
Hong-Kong
Manille
Hồ Chi Minh-Ville
Jakarta
shasa
Johannesburg
Melbourne
Sydney

L'évolution de la population

L'anamorphose permet de cartographier les pays en considérant non plus leur surface, mais une donnée que l'on souhaite mettre en valeur. Ainsi, le poids démographique de la Chine et de l'Inde apparaît plus clairement. Le taux de croissance annuel de la population reflète la stagnation des pays les plus développés de la planète et le déclin d'une partie de l'Europe, notamment l'Allemagne. L'Asie du Sud-Est et l'Amérique latine ont

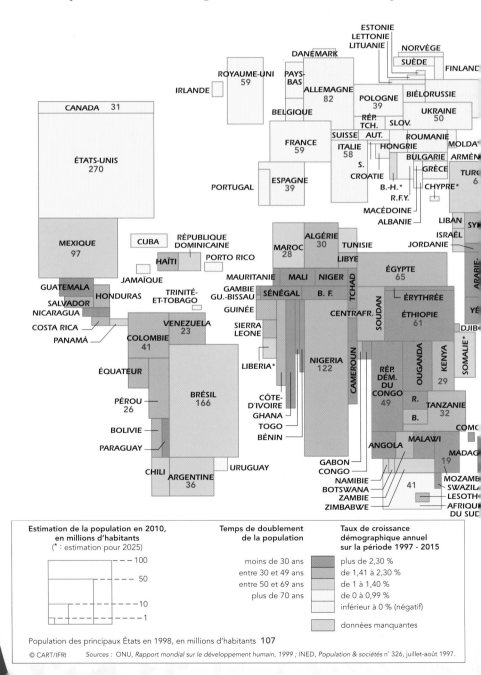

Estimation de la population en 2010, en millions d'habitants
(* : estimation pour 2025)
— — — 100
— — — 50
— — — 10
— — — 1

Temps de doublement de la population
moins de 30 ans
entre 30 et 49 ans
entre 50 et 69 ans
plus de 70 ans

Taux de croissance démographique annuel sur la période 1997 - 2015
plus de 2,30 %
de 1,41 à 2,30 %
de 1 à 1,40 %
de 0 à 0,99 %
inférieur à 0 % (négatif)
données manquantes

Population des principaux États en 1998, en millions d'habitants **107**

© CART/IFRI   Sources : ONU, *Rapport mondial sur le développement humain, 1999* ; INED, *Population & sociétés* n° 326, juillet-août 1997.

largement entamé leur « transition démographique », qui voit la mortalité et la fécondité diminuer, alors que l'Afrique et le Proche-Orient demeurent en croissance rapide.

MONGOLIE	
	CORÉE-DU-NORD 23
	CORÉE-DU-SUD 46
	JAPON 126
CHINE 1 242	

RUSSIE 147

KAZAKHSTAN

TURK. KIRG. OUZ. TADJIK.

AFGHANISTAN * 25

NÉPAL 24

BHOUTAN *

TAIWAN * 22

HONG-KONG

PAKISTAN 142

BANGLADESH 126

LAOS

VIÊTNAM 78

PHILIPPINES 75

KOWEÏT ÉMIRATS ARABES UNIS

OMAN

THAÏLANDE 61

CAMBODGE

BIRMANIE 47

INDE 980

MALAYSIA 22

SINGAPOUR

PAPOUASIE-NOUVELLE-GUINÉE

INDONÉSIE 207

MAURICE

AUSTRALIE 19

NOUVELLE-ZÉLANDE

SRI LANKA 19

CONSULTER...

Algérie	Espagne	Grande-Bretagne
Allemagne	États-Unis	Inde
Chine	France	

La croissance des villes

Au XXᵉ siècle, l'accroissement de la population s'est concentré dans les villes, qui ont reçu l'apport d'un exode rural massif. Au sein des 280 agglomérations qui comptent plus d'un million d'habitants, 26 mégalopoles regroupent chacune plus de 7 millions d'humains. La croissance de ces grandes agglomérations ralentit dans les pays industrialisés, en revanche, l'explosion urbaine des pays en voie de développement est à peine entamée depuis deux décennies. Les villes tentaculaires d'Asie, qui regroupe à elle seule 13 des 26 mégalopoles, et dans une moindre mesure celles d'Afrique et d'Amérique latine, posent de redoutables questions d'aménagement à des États encore largement démunis en moyens financiers et techniques.

Taux d'urbanisation :

- plus de 70 % de la population
- de 50 à 70 % de la population
- moins de 50 % de la population

Populations des plus grandes agglomérations du monde
(en milliers)

- 9 844 — Estimation pour 2015
- 6 547 — Chiffre en 1995
- 1 360 — Chiffre en 1950

Échelle à l'équateur
0   2 000 km

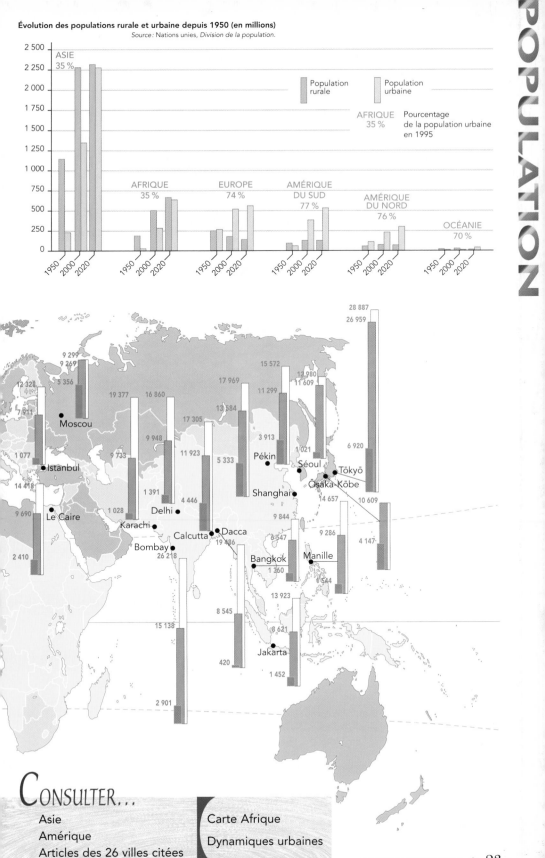

Évolution des populations rurale et urbaine depuis 1950 (en millions)
Source: Nations unies, *Division de la population*.

Population rurale
Population urbaine

AFRIQUE
35 %
Pourcentage de la population urbaine en 1995

ASIE
35 %

AFRIQUE
35 %

EUROPE
74 %

AMÉRIQUE
DU SUD
77 %

AMÉRIQUE
DU NORD
76 %

OCÉANIE
70 %

Moscou
Istanbul
Le Caire
Karachi
Delhi
Bombay
Calcutta
Dacca
Bangkok
Jakarta
Pékin
Shanghai
Séoul
Tōkyō
Ōsaka-Kōbe
Manille

CONSULTER...

Asie
Amérique
Articles des 26 villes citées

Carte Afrique
Dynamiques urbaines

Les nomades

Dans les zones de déserts chauds (Sahara, Kalahari, péninsule Arabique, Asie centrale) ou froids (Canada, Groenland, Scandinavie, Sibérie, Asie centrale) et sur leurs marges (savanes d'Afrique subsaharienne, plateau de l'Iran, Asie mineure...), des populations nomades ont réussi à préserver un mode d'existence en régression accélérée. Moins de

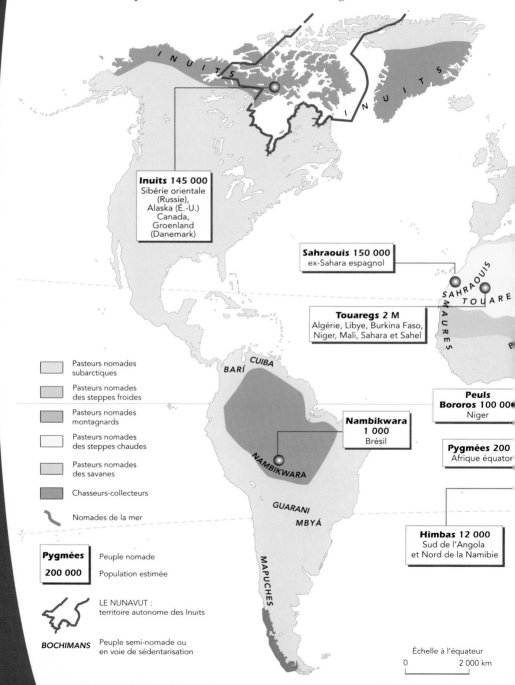

Inuits 145 000
Sibérie orientale (Russie),
Alaska (É.-U.),
Canada,
Groenland
(Danemark)

Sahraouis 150 000
ex-Sahara espagnol

Touaregs 2 M
Algérie, Libye, Burkina Faso,
Niger, Mali, Sahara et Sahel

**Peuls
Bororos 100 000**
Niger

**Nambikwara
1 000**
Brésil

Pygmées 200 000
Afrique équator

Himbas 12 000
Sud de l'Angola
et Nord de la Namibie

Pasteurs nomades
subarctiques

Pasteurs nomades
des steppes froides

Pasteurs nomades
montagnards

Pasteurs nomades
des steppes chaudes

Pasteurs nomades
des savanes

Chasseurs-collecteurs

Nomades de la mer

**Pygmées
200 000**

Peuple nomade

Population estimée

LE NUNAVUT :
territoire autonome des Inuits

BOCHIMANS

Peuple semi-nomade ou
en voie de sédentarisation

Échelle à l'équateur

0   2 000 km

10 millions d'êtres humains subsistent grâce à la pêche, à la chasse, à la cueillette ou au nomadisme pastoral. À la modernisation économique qui, avec le déclin du commerce caravanier, entraîne une diminution des ressources des nomades s'ajoute la volonté des États de les contraindre à se sédentariser, parfois même par la force.

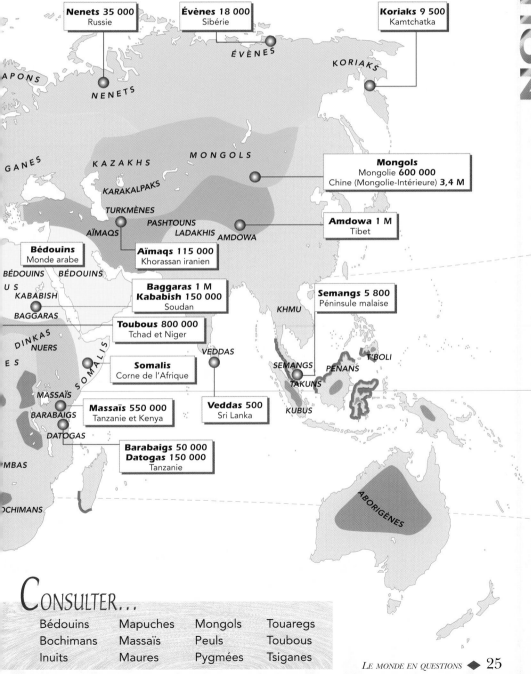

Nenets 35 000
Russie

Évènes 18 000
Sibérie

Koriaks 9 500
Kamtchatka

ÉVÈNES

KORIAKS

NENETS

APONS

GANES

KAZAKHS

MONGOLS

Mongols
Mongolie **600 000**
Chine (Mongolie-Intérieure) **3,4 M**

KARAKALPAKS

TURKMÈNES

PASHTOUNS

LADAKHIS *AMDOWA*

Amdowa 1 M
Tibet

AÏMAQS

Aïmaqs 115 000
Khorassan iranien

Bédouins
Monde arabe

BÉDOUINS *BÉDOUINS*

US
KABABISH

Baggaras 1 M
Kababish 150 000
Soudan

KHMU

Semangs 5 800
Péninsule malaise

BAGGARAS

DINKAS
NUERS

Toubous 800 000
Tchad et Niger

VEDDAS

T'BOLI

ES

SOMALIS

Somalis
Corne de l'Afrique

SEMANGS

PENANS

TAKUNS

MASSAÏS

Massaïs 550 000
Tanzanie et Kenya

Veddas 500
Sri Lanka

KUBUS

BARABAIGS

DATOGAS

Barabaigs 50 000
Datogas 150 000
Tanzanie

MBAS

ABORIGÈNES

OCHIMANS

Consulter...

Bédouins	Mapuches	Mongols	Touaregs
Bochimans	Massaïs	Peuls	Toubous
Inuits	Maures	Pygmées	Tsiganes

Les flux migratoires

La mondialisation croissante durant la deuxième moitié du XXe siècle a amplifié les migrations de population pour des motifs économiques. Les anciennes colonies des puissances européennes (Empire des Indes, Maghreb) et les rives orientales de la Méditerranée, au contact de l'Europe, le Mexique et l'Amérique centrale au voisinage des États-Unis, les Philippines, au carrefour d'influences variées, fournissent les plus forts contingents d'immigrants. Les migrations politiques, conséquence des guerres civiles ou internationales, amplifient les migrations économiques et poussent sur les routes de l'exil des millions de familles. Aux réfugiés palestiniens des années 1950 et 1960, aux boat people quittant le Viêtnam dans les années 1970, s'ajoutent les Kurdes, les Rwandais et les victimes des « épurations ethniques » dans l'ex-Yougoslavie, notamment les Musulmans bosniaques et les Albanais du Kosovo. La guerre et les persécutions incitent d'autres peuples à la fuite, dans le Caucase, au Moyen-Orient et en Afrique.

Les réfugiés

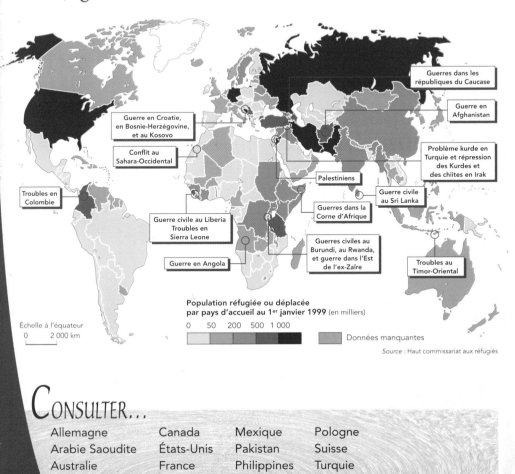

Guerres dans les républiques du Caucase

Guerre en Afghanistan

Guerre en Croatie, en Bosnie-Herzégovine, et au Kosovo

Conflit au Sahara-Occidental

Problème kurde en Turquie et répression des Kurdes et des chiites en Irak

Palestiniens

Troubles en Colombie

Guerre civile au Sri Lanka

Guerres dans la Corne d'Afrique

Guerre civile au Liberia Troubles en Sierra Leone

Guerres civiles au Burundi, au Rwanda, et guerre dans l'Est de l'ex-Zaïre

Guerre en Angola

Troubles au Timor-Oriental

Population réfugiée ou déplacée par pays d'accueil au 1er janvier 1999 (en milliers)

0   50   200   500 1 000

Données manquantes

Échelle à l'équateur
0   2 000 km

Source : Haut commissariat aux réfugiés

CONSULTER...

On peut dater la mondialisation des grands voyages de découverte entrepris par les Portugais et les Espagnols à partir du XVe siècle. Durant trois cents ans, l'accroissement des échanges, accompagné de la traite des esclaves, entre l'Europe, l'Afrique et l'Amérique, favorisa le développement des pays européens. Depuis la fin de la Deuxième Guerre mondiale, le développement majeur étant le fait de l'Amérique du Nord et de l'Asie orientale, à côté de l'Europe, les échanges internationaux de biens et de services croissent plus rapidement que la production brute mondiale (PIB) : les économies des différents États, naguère cloisonnées, sont de plus en plus interdépendantes. En 2000, le PIB mondial dépasse les 30 000 milliards de dollars, tandis que les exportations de biens et de services, avec plus de 7 000 milliards de dollars, en représentent le quart.

Cette massification des transactions commerciales et financières, ainsi que les flux touristiques croissants, dessinent un monde ouvert et solidaire, renforcé par l'essor des communications, grâce à la télévision, aux télécommunications et à Internet. Toutefois, la mondialisation comporte des excès, marqués par la croissance des inégalités, par une « bulle » financière fondée sur la croissance des actifs boursiers et immobiliers dans les pays riches, et par un endettement important, aussi bien de pays riches que de pays en développement. Ces déséquilibres donnent naissance à des mouvements de contestation des institutions internationales, qui, tels le FMI ou l'OMC, ont favorisé la mondialisation.

Économie

Les flux aériens

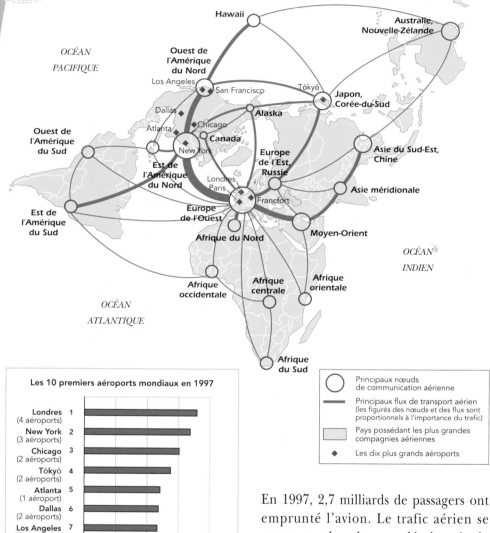

OCÉAN PACIFIQUE

Hawaii

Australie, Nouvelle-Zélande

OCÉAN ATLANTIQUE

Ouest de l'Amérique du Nord

Los Angeles
San Francisco
Tôkyô
Japon, Corée-du-Sud

Dallas
Chicago
Alaska

Atlanta
Canada
Asie du Sud-Est, Chine

New York

Ouest de l'Amérique du Sud

Est de l'Amérique du Nord

Europe de l'Est, Russie

Asie méridionale

Londres
Paris
Francfort

Europe de l'Ouest

Moyen-Orient

Est de l'Amérique du Sud

OCÉAN INDIEN

Afrique du Nord

Afrique occidentale

Afrique centrale

Afrique orientale

Afrique du Sud

Les 10 premiers aéroports mondiaux en 1997

Aéroport	Rang	(en millions de passagers)
Londres (4 aéroports)	1	
New York (3 aéroports)	2	
Chicago (2 aéroports)	3	
Tôkyô (2 aéroports)	4	
Atlanta (1 aéroport)	5	
Dallas (2 aéroports)	6	
Los Angeles (2 aéroports)	7	
Paris (2 aéroports)	8	
San Francisco (1 aéroport)	9	
Francfort (1 aéroport)	10	

20 40 60 80 100
(en millions de passagers)

Principaux nœuds de communication aérienne

Principaux flux de transport aérien (les figurés des nœuds et des flux sont proportionnels à l'importance du trafic)

Pays possédant les plus grandes compagnies aériennes

Les dix plus grands aéroports

En 1997, 2,7 milliards de passagers ont emprunté l'avion. Le trafic aérien se concentre dans la zone développée de l'Amérique du Nord, de l'Europe et de l'Asie. Au sein de cet ensemble, le poids du trafic intérieur des États-Unis demeure considérable : un tiers du trafic mondial et 24 des 40 plus grands aéroports.

CONSULTER...

Les flux maritimes

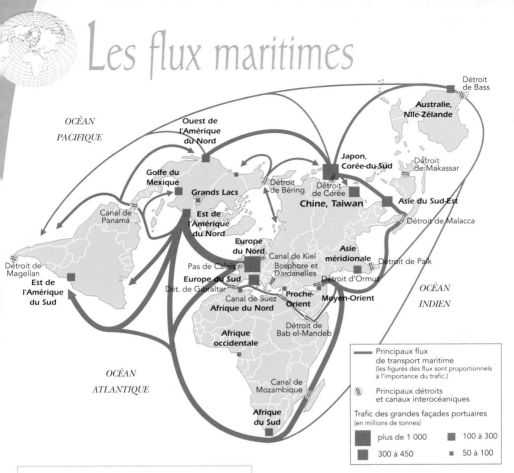

Légende :

Principaux flux
de transport maritime
(les figurés des flux sont proportionnels
à l'importance du trafic.)

Principaux détroits
et canaux interocéaniques

Trafic des grandes façades portuaires
(en millions de tonnes)

plus de 1 000	100 à 300
300 à 450	50 à 100

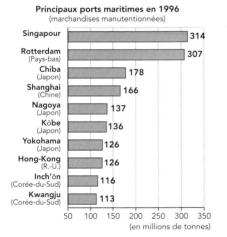

Principaux ports maritimes en 1996
(marchandises manutentionnées)

Port	Millions de tonnes
Singapour	314
Rotterdam (Pays-bas)	307
Chiba (Japon)	178
Shanghai (Chine)	166
Nagoya (Japon)	137
Kôbe (Japon)	136
Yokohama (Japon)	126
Hong-Kong (R.-U.)	126
Inch'ôn (Corée-du-Sud)	116
Kwangju (Corée-du-Sud)	113

(en millions de tonnes)

Le trafic maritime atteint les 5 milliards de tonnes transportées. Dans ce total, le pétrole et ses dérivés représentent 1,9 milliard de tonnes, les autres matières premières 1,1 milliard de tonnes, tandis que les produits fabriqués, avec 2 milliards de tonnes, concentrent l'essentiel de la valeur du trafic. Treize ports seulement dépassent un trafic de 100 millions de tonnes, dont deux en Europe (Rotterdam et Anvers) et les onze autres en Asie, dont six au Japon.

CONSULTER...

Anvers   Hong-Kong   Kobe   Pas de Calais   Singapour
Atlantique   Inch'ón   Manche   Rotterdam   Suez (canal de)
Gibraltar (détroit de)   Japon   Méditerranée   Shanghai   Yokohama

Les places boursières

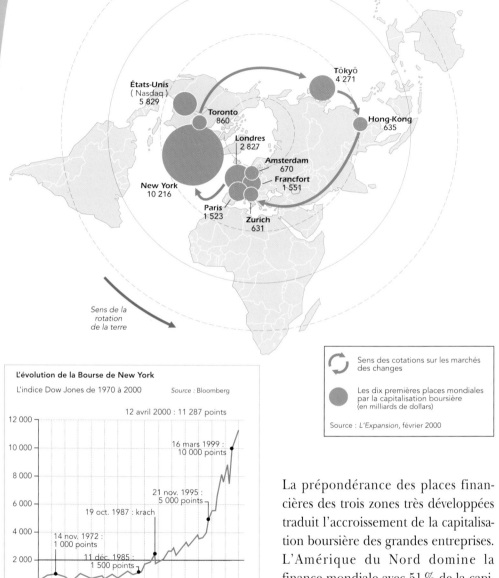

Tōkyō
4 271

États-Unis
(Nasdaq)
5 829

Toronto
860

Londres
2 827

Hong-Kong
635

Amsterdam
670

Francfort
1 551

New York
10 216

Paris
1 523

Zurich
631

Sens de la
rotation
de la terre

Sens des cotations sur les marchés
des changes

Les dix premières places mondiales
par la capitalisation boursière
(en milliards de dollars)

Source : L'Expansion, février 2000

L'évolution de la Bourse de New York

L'indice Dow Jones de 1970 à 2000   Source : Bloomberg

12 avril 2000 : 11 287 points

16 mars 1999 :
10 000 points

21 nov. 1995 :
5 000 points

19 oct. 1987 : krach

14 nov. 1972 :
1 000 points

11 déc. 1985 :
1 500 points

12 000

10 000

8 000

6 000

4 000

2 000

0

70 72 74 76 78 80 82 84 86 88 90 92 94 96 98 2000

Consulter...

Francfort   Toronto
Londres   Zurich
New York

La prépondérance des places financières des trois zones très développées traduit l'accroissement de la capitalisation boursière des grandes entreprises. L'Amérique du Nord domine la finance mondiale avec 51 % de la capitalisation boursière mondiale, tandis que l'Asie ne représente que la moitié de la zone Europe. Afin de faire face à l'afflux des cotations et des opérations sur les valeurs non cotées à Wall Street, les courtiers américains ont mis en place un système de cotation électronique, le Nasdaq.

La dette

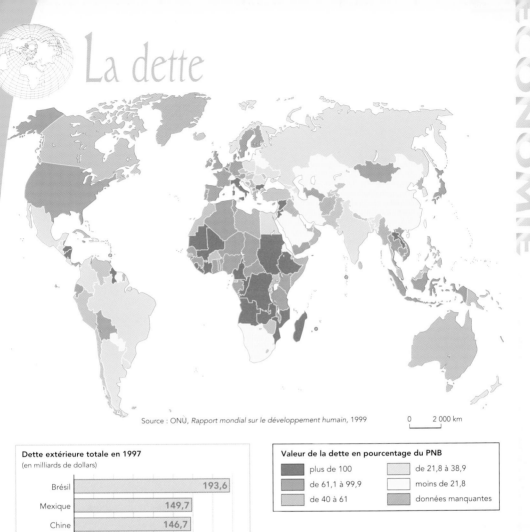

Source : ONU, *Rapport mondial sur le développement humain*, 1999

0   2 000 km

Dette extérieure totale en 1997
(en milliards de dollars)

Brésil	193,6
Mexique	149,7
Chine	146,7
Corée-du-Sud	143,4
Indonésie	136,2
Russie	125,6
Argentine	123,2
Inde	94,4
Thaïlande	93,4
Turquie	91,2
Malaysia	47,2
Philippines	45,4

Valeur de la dette en pourcentage du PNB

- plus de 100
- de 61,1 à 99,9
- de 40 à 61
- de 21,8 à 38,9
- moins de 21,8
- données manquantes

Le phénomène de la dette touche aussi bien pays riches que pays en développement, en réalité il ne pèse pas de même manière sur leurs économies. En effet, l'endettement des États développés est compensé par des avoirs détenus à l'extérieur de leur territoire (plus du triple de la dette pour les États-Unis), alors que le remboursement des dettes des pays en transition doit être prélevé sur les recettes des exportations. Ainsi, en 1995, le service de la dette représentait près de 40 % des recettes des exportations du Brésil, de l'Argentine ou de l'Algérie.

CONSULTER...

Algérie   Inde   Soudan
Bolivie   Jamaïque   Turquie
Chine   Mexique

Les flux pétroliers

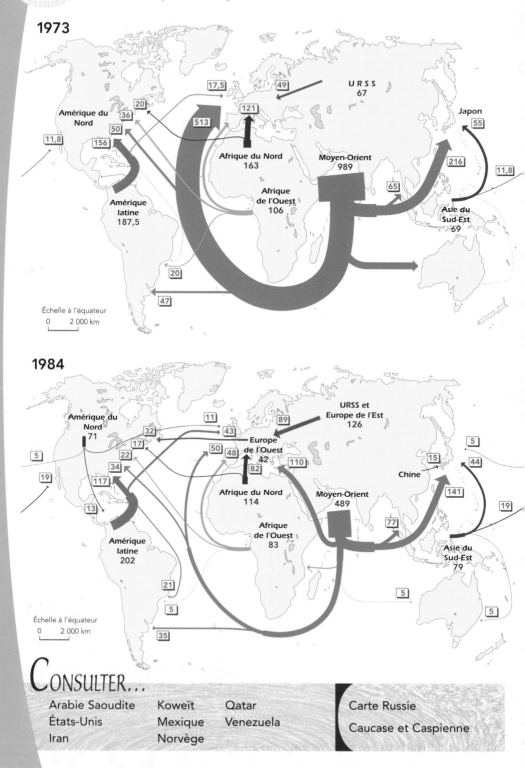

1973

Amérique du Nord

17,5 · 49 · URSS 67

20 · 36 · 121 · 513

50 · Japon 55

11,8 · 156 · Afrique du Nord 163 · Moyen-Orient 989 · 216 · 11,8

Amérique latine 187,5

Afrique de l'Ouest 106 · 65

Asie du Sud-Est 69

20

47

Échelle à l'équateur
0   2 000 km

1984

Amérique du Nord 71

11 · 89 · URSS et Europe de l'Est 126

32 · 43 · 5

17 · Europe de l'Ouest 42 · 15 · 44

5 · 22 · 50 · 48 · Chine

19 · 34 · 82 · 110 · 141

117 · 141

13 · Afrique du Nord 114 · Moyen-Orient 489 · 77 · 19

Amérique latine 202

Afrique de l'Ouest 83

Asie du Sud-Est 79

21

5 · 5 · 5

35

Échelle à l'équateur
0   2 000 km

CONSULTER...

Arabie Saoudite	Koweït	Qatar
États-Unis	Mexique	Venezuela
Iran	Norvège	

Carte Russie

Caucase et Caspienne

1998

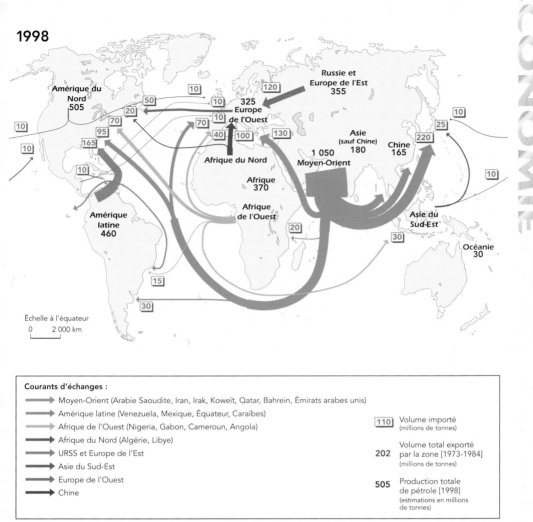

Courants d'échanges :

→ Moyen-Orient (Arabie Saoudite, Iran, Irak, Koweït, Qatar, Bahrein, Émirats arabes unis)

→ Amérique latine (Venezuela, Mexique, Équateur, Caraïbes)

→ Afrique de l'Ouest (Nigeria, Gabon, Cameroun, Angola)

→ Afrique du Nord (Algérie, Libye)

→ URSS et Europe de l'Est

→ Asie du Sud-Est

→ Europe de l'Ouest

→ Chine

110 Volume importé
(millions de tonnes)

202 Volume total exporté
par la zone [1973-1984]
(millions de tonnes)

505 Production totale
de pétrole [1998]
(estimations en millions
de tonnes)

Le pétrole brut, avec 1,5 milliard de tonnes transportées représente le premier produit échangé dans le monde. En 1973, avant le quadruplement du prix du baril, le Moyen-Orient concentre 65 % des exportations, destinées principalement aux pays industrialisés d'Europe occidentale, au Japon et aux États-Unis. En 1984, au lendemain du deuxième choc pétrolier de 1979, les flux ont baissé d'un tiers, le Moyen-Orient ayant divisé ses exportations par deux. Le renchérissement du brut a contraint les pays développés à mettre en place des économies d'énergie, à valoriser des produits de substitution (gaz naturel, charbon, énergie nucléaire), tandis que de nouvelles zones de production (Sibérie, Alaska, mer du Nord) entraient en production. En 1998, le trafic a retrouvé de l'ampleur grâce à la baisse des prix, mais les flux intérieurs à chaque zone, de l'Alaska vers les États-Unis, de la mer du Nord et de Sibérie vers l'Europe occidentale, remplacent une partie des exportations du Moyen-Orient.

Les peuples humains se différencient par leurs langues, leurs religions et leurs cultures, qui se sont posées en rivales tout au long de l'histoire. Cette rivalité a engendré de multiples conflits, accentuant les différences et envenimant les rapports. Les grands mouvements de colonisation culturelle, ceux des Européens vers l'Afrique et l'Amérique, ceux des Arabes et de l'islam vers l'Afrique et l'Asie, ainsi que le rayonnement de la civilisation chinoise, ont graduellement constitué des blocs qui débordent les clivages nationaux.

L'histoire est aussi un incessant mélange de peuples, l'interpénétration de cultures, les échanges et les emprunts de vocabulaire entre langues. Au XXe siècle, la multiplication des échanges culturels, l'apparition d'une « planète de la communication », pour laquelle l'anglais est devenu la langue dominante, donnent naissance à une civilisation mondialisée. Toutefois, les racines identitaires maintiennent des traditions linguistiques, religieuses et culturelles qui se traduisent par la richesse et la diversité préservées, mais aussi par des conflits et de la violence, par exemple en Algérie, au Soudan, au Timor ou au Sri Lanka, par la révolte de peuples opprimés tels les Indiens en Amérique latine, ou par les difficultés de la Russie à pacifier ses marges caucasiennes. Dans les pays riches, les résistances se manifestent par les « exceptions » culturelles, par des habitudes et des goûts spécifiques, et par la naissance de mouvements de citoyens contre la mondialisation.

Aspects
culturels

Les langues principales

Les diverses colonisations, arabe, anglaise, française, espagnole et portugaise ont exercé une très forte influence unificatrice tandis que certains peuples conservaient leur idiome propre. Au XXᵉ siècle, le phénomène majeur reste l'expansion de l'anglais, appuyé sur la puissance économique et culturelle britannique et américaine, ainsi que sur les capacités de synthèse et d'évolution de cette langue.

anglais

espagnol

portugais

fra

angla

Échelle à l'équateur
0   2 000 km

souahéli (**30 M**)		allemand (**100 M**)		russe (**285 M**)		
polonais (**42 M**)		turc (**124 M**)		espagnol (**330 M**)		
persan et tadjik (**45 M**)		japonais (**125 M**)		hindi (**450 M**)		
ukrainien (**52 M**)		français (**135 M**)		anglais (**600 M**)		
thaï et lao (**53 M**)		arabe (**170 M**)		chinois (**1 000 M**)		
italien (**65 M**)		portugais (**180 M**)		autres langues		
vietnamien (**67 M**)		indonésien et malais (**190 M**)		**190 M** En millions de locuteurs		
coréen (**73 M**)		bengali (**193 M**)				

Source: *Les langages de l'humanité*, 1995.

russe

turc

chinois

hindi

arabe

souahéli

anglais

C ONSULTER...

Arabes   Malais
Berbères
Iran

La langue française dans le monde

Le français, langue latine centrée sur le bassin francophone original, la France, une partie de la Belgique, du Luxembourg, de la Suisse et le Val d'Aoste, a conquis le statut de langue internationale grâce au rayonnement de la culture et de la diplomatie françaises. Les différentes strates de l'expansion coloniale apparaissent sur la carte : la Louisiane, le Canada, les comptoirs de l'Inde, les Antilles, l'Afrique, l'Indochine conservent un nombre

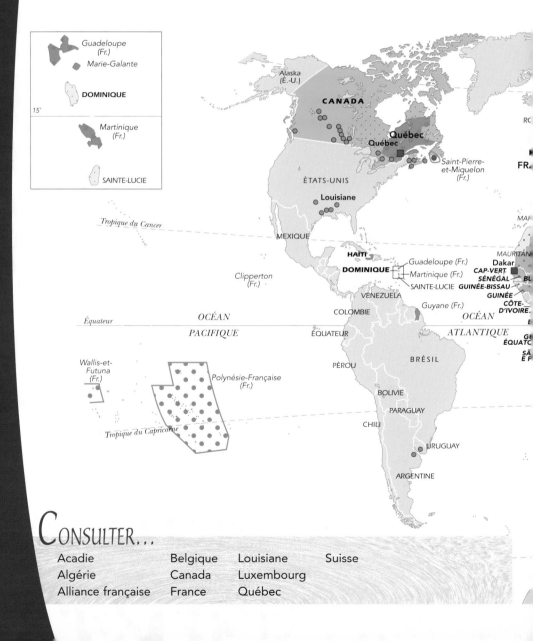

Consulter...

important de locuteurs francophones. Le Québec et Haïti constituent deux cas spécifiques, où la langue française autochtone a évolué de façon autonome par rapport au français parlé en métropole ou en Europe. Le rayonnement culturel de la francophonie continue à se manifester notamment au travers des lycées francophones et du réseau de l'Alliance française, présente dans 137 pays.

Pays ou régions où le français est langue officielle et maternelle

Pays ou régions où le français est langue officielle ou administrative

Pays où le français est langue d'enseignement privilégiée

Îles où le français est langue officielle et/ou maternelle

● Minorités francophones

Population francophone :

● plus de 50 %

○ de 16 à 50 %

de 3 à 16 %

BELGIQUE
Québec Membre des institutions de la francophonie

■ Ville d'accueil du «Sommet francophone»

Échelle à l'équateur

0   2 000 km

Édition et communication

Le livre

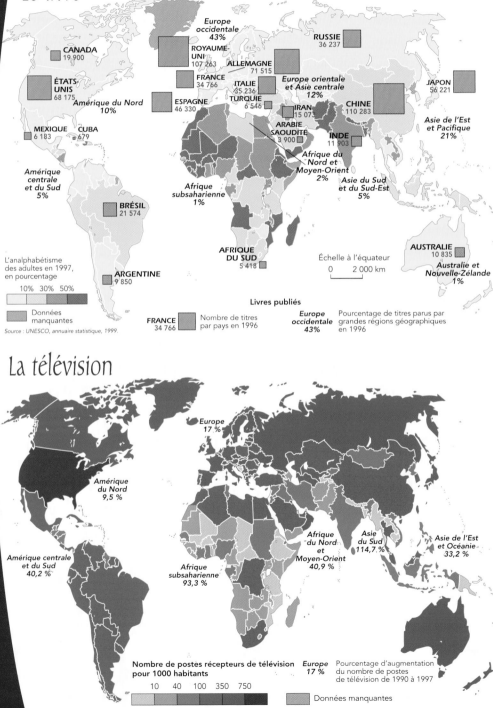

Europe
occidentale
43%

ROYAUME-
UNI
107 263

ALLEMAGNE
71 515

RUSSIE
36 237

CANADA
19 900

ÉTATS-
UNIS
68 175

Amérique du Nord
10%

FRANCE
34 766

ITALIE
35 236

TURQUIE
6 546

Europe orientale
et Asie centrale
12%

CHINE
110 283

JAPON
56 221

ESPAGNE
46 330

IRAN
15 073

ARABIE
SAOUDITE
3 900

INDE
11 903

Asie de l'Est
et Pacifique
21%

MEXIQUE
6 183

CUBA
679

Amérique
centrale
et du Sud
5%

Afrique
subsaharienne
1%

Afrique du
Nord et
Moyen-Orient
2%

Asie du Sud
et du Sud-Est
5%

BRÉSIL
21 574

AUSTRALIE
10 835

AFRIQUE
DU SUD
5 418

Échelle à l'équateur

0   2 000 km

Australie et
Nouvelle-Zélande
1%

ARGENTINE
9 850

L'analphabétisme
des adultes en 1997,
en pourcentage

10% 30% 50%

Données
manquantes

Source : UNESCO, annuaire statistique, 1999.

Livres publiés

FRANCE
34 766

Nombre de titres
par pays en 1996

Europe
occidentale
43%

Pourcentage de titres parus par
grandes régions géographiques
en 1996

La télévision

Europe
17 %

Amérique
du Nord
9,5 %

Afrique
du Nord
et
Moyen-Orient
40,9 %

Asie
du Sud
114,7 %

Asie de l'Est
et Océanie
33,2 %

Amérique centrale
et du Sud
40,2 %

Afrique
subsaharienne
93,3 %

Nombre de postes récepteurs de télévision
pour 1000 habitants

10   40   100   350   750

Europe
17 %

Pourcentage d'augmentation
du nombre de postes
de télévision de 1990 à 1997

Données manquantes

Source : UNESCO, Annuaire statistique, 1999

Le planisphère de la communication reflète le clivage entre pays développés et pays en voie de développement : les taux d'alphabétisation, les chiffres de l'édition, l'usage des récepteurs de télévision et du téléphone ou la diffusion d'Internet correspondent globalement aux divisions entre riches et pauvres. Ainsi en 1999, sur les 720 millions d'Africains, à peine un million, dont 80 % en Afrique du Sud, sont connectés à Internet contre 71 millions en Amérique du Nord (sur une population globale de 370 millions d'habitants). Toutefois, les efforts de certains États dans le domaine de l'alphabétisation (Cuba, Chine, Indonésie) et la vigueur de la croissance asiatique modifient les répartitions traditionnelles, l'Extrême-Orient passant directement à l'ère du téléphone cellulaire et d'Internet. L'anglais, langue privilégiée de la mondialisation, marque sa puissance dans le secteur de l'édition, des médias et dans l'expansion des technologies nouvelles.

Internet et téléphonie

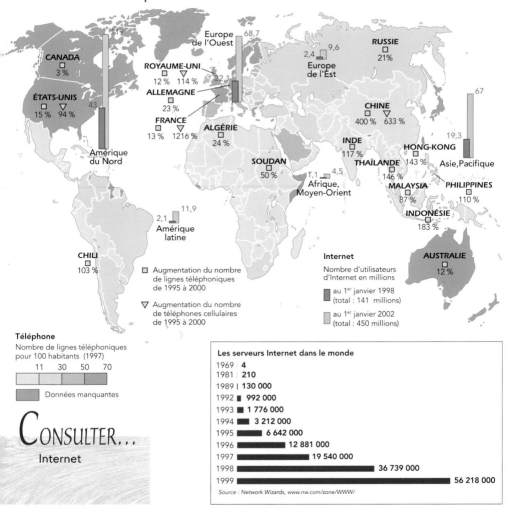

Les serveurs Internet dans le monde

1969	4
1981	210
1989	130 000
1992	992 000
1993	1 776 000
1994	3 212 000
1995	6 642 000
1996	12 881 000
1997	19 540 000
1998	36 739 000
1999	56 218 000

Source : Network Wizards, www.nw.com/zone/WWW/

CONSULTER...

Internet

Les principales religions

Les confessions se réclamant de l'islam et du christianisme regroupent plus de la moitié de l'humanité. Le christianisme domine en Amérique, en Europe, au sud de l'Afrique et en Océanie. L'islam, qui l'emporte au Moyen-Orient, en Insulinde et dans le nord de l'Afrique, s'étend en Afrique équatoriale. L'Asie des moussons (sauf le Bangladesh et l'Indonésie) maintient ses cultes traditionnels (hindouisme, bouddhisme, confucianisme, shintoïsme).

Principales communautés

- ■ bouddhiste
- ▫ catholique
- ■ hindoue
- ■ juive
- ▫ protestante
- ■ musulmane
- ■ sikh

◁⟶ Prosélytisme islamique

Échelle à l'équateur

0   2 000 km

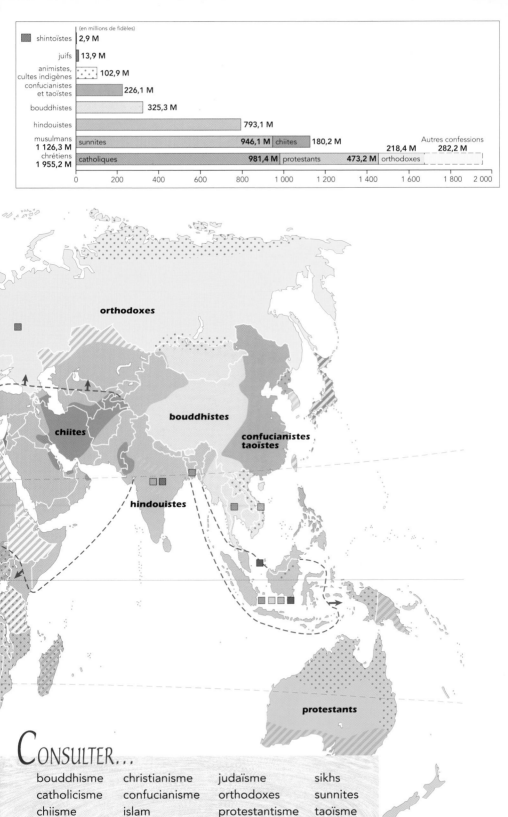

	(en millions de fidèles)	
shintoïstes	2,9 M	
juifs	13,9 M	
animistes, cultes indigènes	102,9 M	
confucianistes et taoïstes	226,1 M	
bouddhistes	325,3 M	
hindouistes	793,1 M	
musulmans 1 126,3 M	sunnites 946,1 M chiites 180,2 M	
chrétiens 1 955,2 M	catholiques 981,4 M protestants 473,2 M orthodoxes 218,4 M Autres confessions 282,2 M	

orthodoxes

bouddhistes

chiites

confucianistes taoïstes

hindouistes

protestants

Consulter...

bouddhisme	christianisme	judaïsme	sikhs
catholicisme	confucianisme	orthodoxes	sunnites
chiisme	islam	protestantisme	taoïsme

Religions et politique

Religions officielles

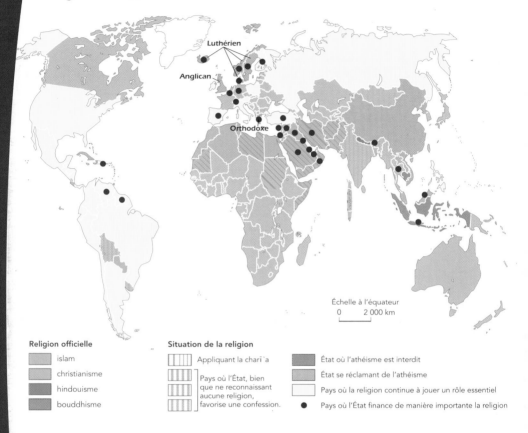

Religion officielle
- islam
- christianisme
- hindouisme
- bouddhisme

Situation de la religion
- Appliquant la chari'a
- Pays où l'État, bien que ne reconnaissant aucune religion, favorise une confession.
- État où l'athéisme est interdit
- État se réclamant de l'athéisme
- Pays où la religion continue à jouer un rôle essentiel
- ● Pays où l'État finance de manière importante la religion

Échelle à l'équateur
0   2 000 km

La religion est un des principaux facteurs de cohésion et d'individualisation des nations et des États. L'État-nation européen (une religion, une langue, un territoire) demeure au XXᵉ siècle le modèle de formation des États issus de la décolonisation. Cependant, les traditions religieuses pèsent sur les États modernes, qui doivent composer avec la confession majoritaire et parfois avec les croyances des minorités. Les diverses modalités constitutionnelles partagent les États théocratiques, ceux qui établissent une religion officielle et ceux qui ont séparé la religion de la politique.

Au plan politique, les partis se réclamant de la Démocratie chrétienne restent dominants en Amérique latine et en Europe, tandis que les partis islamistes ont accru leur prépondérance dans l'aire arabo-musulmane. Les zones de contacts entre religions (Balkans, Caucase, Proche-Orient, Afrique tropicale, Asie du Sud) sont les régions où les guerres civiles prennent aussi des accents religieux, qui recoupent des caractéristiques ethniques ou linguistiques. Ces conflits à composante religieuse sont particulièrement vifs dans la zone d'expansion de l'islam.

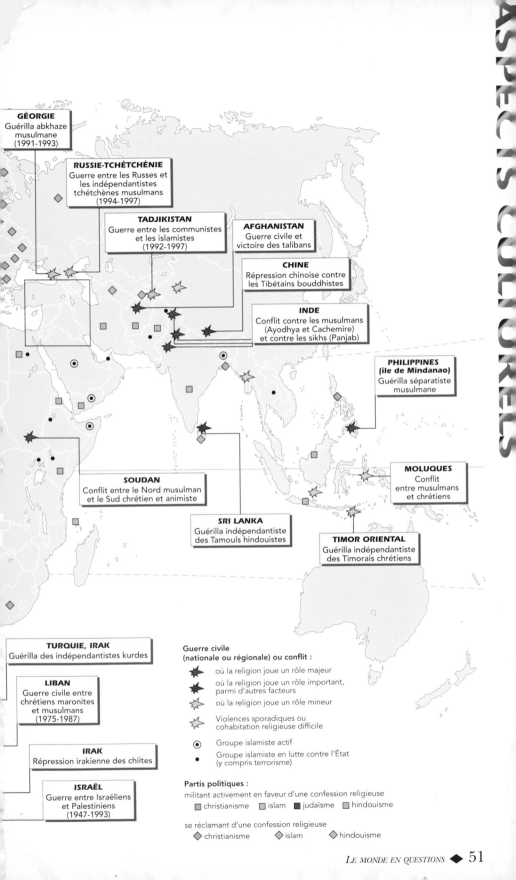

GÉORGIE
Guérilla abkhaze
musulmane
(1991-1993)

RUSSIE-TCHÉTCHÉNIE
Guerre entre les Russes et
les indépendantistes
tchétchènes musulmans
(1994-1997)

TADJIKISTAN
Guerre entre les communistes
et les islamistes
(1992-1997)

AFGHANISTAN
Guerre civile et
victoire des talibans

CHINE
Répression chinoise contre
les Tibétains bouddhistes

INDE
Conflit contre les musulmans
(Ayodhya et Cachemire)
et contre les sikhs (Panjab)

**PHILIPPINES
(île de Mindanao)**
Guérilla séparatiste
musulmane

MOLUQUES
Conflit
entre musulmans
et chrétiens

SOUDAN
Conflit entre le Nord musulman
et le Sud chrétien et animiste

SRI LANKA
Guérilla indépendantiste
des Tamouls hindouistes

TIMOR ORIENTAL
Guérilla indépendantiste
des Timorais chrétiens

TURQUIE, IRAK
Guérilla des indépendantistes kurdes

LIBAN
Guerre civile entre
chrétiens maronites
et musulmans
(1975-1987)

IRAK
Répression irakienne des chiites

ISRAËL
Guerre entre Israéliens
et Palestiniens
(1947-1993)

**Guerre civile
(nationale ou régionale) ou conflit :**

où la religion joue un rôle majeur

où la religion joue un rôle important,
parmi d'autres facteurs

où la religion joue un rôle mineur

Violences sporadiques ou
cohabitation religieuse difficile

Groupe islamiste actif

Groupe islamiste en lutte contre l'État
(y compris terrorisme)

Partis politiques :
militant activement en faveur d'une confession religieuse
christianisme   islam   judaïsme   hindouisme

se réclamant d'une confession religieuse
christianisme   islam   hindouisme

Les conflits religieux

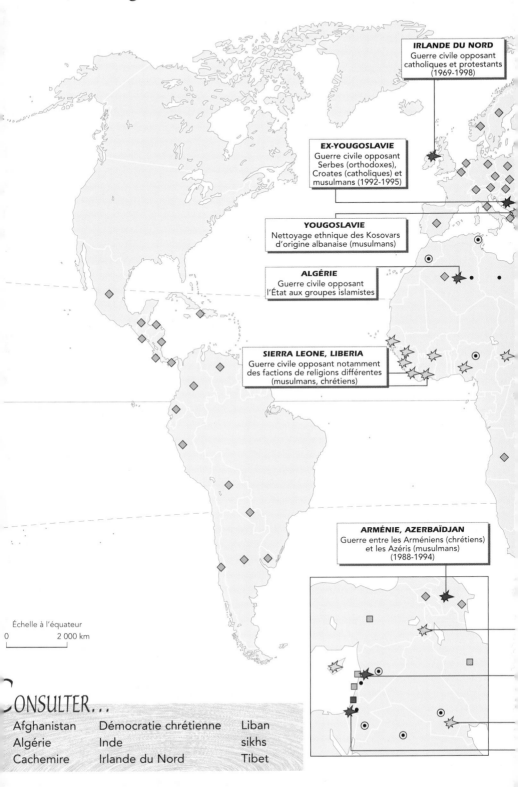

IRLANDE DU NORD
Guerre civile opposant
catholiques et protestants
(1969-1998)

EX-YOUGOSLAVIE
Guerre civile opposant
Serbes (orthodoxes),
Croates (catholiques) et
musulmans (1992-1995)

YOUGOSLAVIE
Nettoyage ethnique des Kosovars
d'origine albanaise (musulmans)

ALGÉRIE
Guerre civile opposant
l'État aux groupes islamistes

SIERRA LEONE, LIBERIA
Guerre civile opposant notamment
des factions de religions différentes
(musulmans, chrétiens)

ARMÉNIE, AZERBAÏDJAN
Guerre entre les Arméniens (chrétiens)
et les Azéris (musulmans)
(1988-1994)

Échelle à l'équateur
0   2 000 km

CONSULTER...

Afghanistan	Démocratie chrétienne	Liban
Algérie	Inde	sikhs
Cachemire	Irlande du Nord	Tibet

Le XIXᵉ siècle, siècle des nationalismes, s'est achevé sur l'expansion coloniale européenne et a engendré la Première Guerre mondiale. Le XXᵉ siècle fut celui de deux guerres modernes et industrielles, qui ravagèrent l'Europe, une partie de l'Asie, de l'Afrique et du Moyen-Orient, puis il s'affirma comme le siècle du totalitarisme et des massacres de masse. Les deux puissances nucléaires - États-Unis et URSS - ont alors bâti une double hégémonie, et, durant quarante ans, enjeux et conflits étaient décryptés à travers le prisme de la « guerre froide ».

Apparue en 1945, la volonté d'organiser le monde de façon à éviter de nouveaux conflits a fait naître l'ONU et les institutions internationales qui lui sont liées, avec un consensus international apparent sur le respect des droits de l'homme. Des organisations régionales, relais des institutions internationales ou démarche autonome d'un groupe d'États, ont proliféré lorsque les tensions de la guerre froide se sont dissipées.

L'éclatement du bloc soviétique a encouragé la renaissance de nationalismes jusqu'alors contenus par l'affrontement des blocs. De nouveaux périls sont apparus : le terrorisme de masse qui tourne parfois au génocide, les risques de la dissémination nucléaire, les litiges frontaliers multiples, tandis que tous les peuples réclament leur reconnaissance par la communauté internationale. Cependant, la communauté des États démocratiques trouve assez facilement un consensus sur les questions les plus importantes.

Grands
enjeux

Les grandes puissances coloniales

Groenland (Dan.)

Alaska (É.-U.)

CANADA

ROYAUME-UNI

P.-

BELGIQUE

Terre-Neuve

St-Pierre-et-Miquelon

FRANCE

ÉTATS-UNIS

Açóres

PORTUGAL

ESPAGNE

Gibraltar

Ceuta

Melilla

Bermudes

Madère

Hawaii

Canaries

CUBA

Bahamas

RIO DE ORO

MEXIQUE

Porto-Rico

HONDURAS-BRITANNIQUE

JAMAÏQUE

Guadeloupe

Martinique

Cap-Vert

AFRIQUE-OCC. FRANÇAISE

GAMBIE

GUINÉE PORT.

PANAMA

zone du canal (É.-U.)

VENEZUELA

GUYANE BRIT.

GUYANE HOLL.

GUYANE FRANÇ.

SIERRA LEONE

N

COLOMBIE

CÔTE-DE-L'OR

TOGO

ÉQUATEUR

Ascension

PÉROU

BRÉSIL

Puissances coloniales

- Allemagne
- Belgique
- Espagne
- États-Unis
- France
- Italie
- Japon
- Pays-Bas
- Portugal
- Royaume-Uni
- Empire russe

◆ Dominion

BOLIVIE

Ste-Hélène

PARAGUAY

CHILI

URUGUAY

ARGENTINE

Malouines

Échelle à l'équateur

0   2 000 km

Les conséquences de la colonisation ont pesé sur le XXᵉ siècle et retentiront encore au XXIᵉ siècle. La décolonisation a permis la formation des États modernes, mais les anciennes métropoles coloniales ont pérennisé leur influence grâce à des relations privilégiées avec leurs anciennes colonies (zone franc en Afrique, accueil d'étudiants). Toutefois, le recul des empires a souvent laissé place à des nations composites, notamment en Afrique, au Moyen-Orient et sur les marges de la Russie, qui sont en butte à des litiges frontaliers et à des conflits internes ou régionaux.

CONSULTER...

La guerre froide

Au sens strict du terme, la guerre foide est la période de paix armée qui, de 1947 à 1956, voit s'affronter deux blocs d'États regroupés l'un sous la protection des États-Unis, l'autre sous la tutelle soviétique. Au sens large, cette guerre commence dès la victoire des Alliés sur les nazis et se prolonge jusqu'à la fin du système communiste en 1989. Les

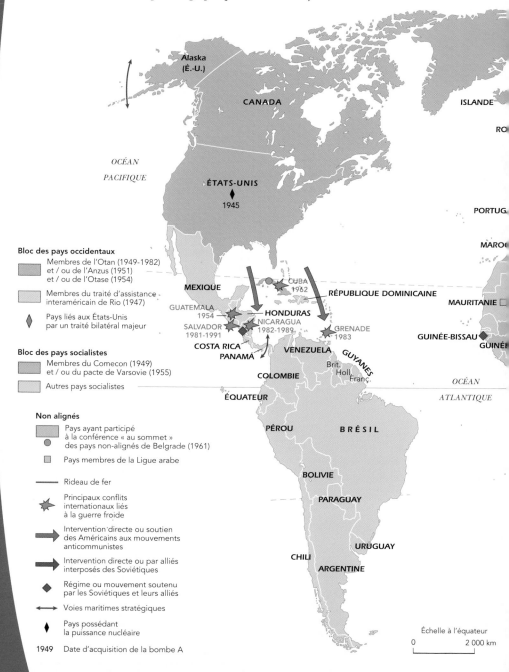

Bloc des pays occidentaux

Membres de l'Otan (1949-1982) et / ou de l'Anzus (1951) et / ou de l'Otase (1954)

Membres du traité d'assistance interaméricain de Rio (1947)

◆ Pays liés aux États-Unis par un traité bilatéral majeur

Bloc des pays socialistes

Membres du Comecon (1949) et / ou du pacte de Varsovie (1955)

Autres pays socialistes

Non alignés

Pays ayant participé à la conférence « au sommet » des pays non-alignés de Belgrade (1961)

Pays membres de la Ligue arabe

—— Rideau de fer

✳ Principaux conflits internationaux liés à la guerre froide

➤ Intervention directe ou soutien des Américains aux mouvements anticommunistes

➤ Intervention directe ou par alliés interposés des Soviétiques

◆ Régime ou mouvement soutenu par les Soviétiques et leurs alliés

◆—▸ Voies maritimes stratégiques

◆ Pays possédant la puissance nucléaire

1949 Date d'acquisition de la bombe A

conflits de cette période, généralement localisés sur les marges d'un des deux empires, manquent à plusieurs reprises de dégénérer en guerre nucléaire mondiale. Toutefois, la menace nucléaire contraint les adversaires à maintenir une coexistence pacifique. Le désarmement nucléaire devient réalité avec l'effondrement de l'URSS.

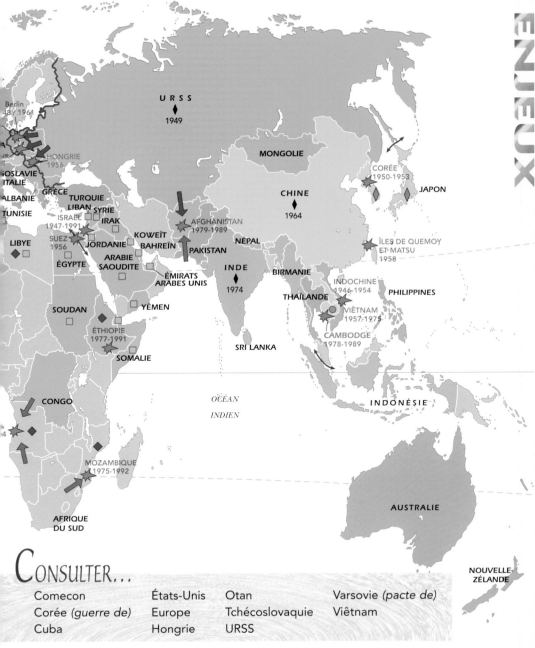

Consulter...

Le monde actuel

À partir de 1990, la disparition de la tutelle soviétique favorise le règlement de conflits anciens : réunifications de l'Allemagne et du Yémen, pacification de la péninsule indochinoise ou négociation entre Israël et les pays arabes. Mais l'éclatement de l'URSS et de la Yougoslavie contribue aussi à l'émergence de nouvelles guerres dans le Caucase et dans

CANADA

Ulster   ROY

IRLANDE

FRANCE

Pays basque

ÉTATS-UNIS   ESPAG

MAROC

SAHARA-   ALG
OCCIDENTAL

Touare

MEXIQUE   MAURITANIE

MALI

Guerrero   Chiapas   HAÏTI

HONDURAS   SÉNÉGAL

GUATEMALA   Casamance

NICARAGUA

SALVADOR   VENEZUELA   SIERRA LEONE

GUYANA   LIBERIA

COLOMBIE   SURINAM

ÉQUATEUR

Nouveaux États
(créés depuis 1990)

États unifiés depuis 1990

PÉROU   BRÉSIL

**Principaux conflits
dans les années 1990**

Crise majeure

Litige frontalier

Conflit ayant entraîné une intervention
militaire internationale (ONU, Otan)

Guerre civile

Troubles intérieurs importants

ARGENTINE

Mouvement indépendantiste

Négociation en cours ou terminée

CHILI

Pays possédant
la puissance nucléaire   Malouines   Échelle à l'équateur

0   2 000 km

Voie maritime essentielle

les Balkans. En dépit de la formation de grandes associations régionales (Union européenne, Alena, Mercosur, Ansea, etc.), des conflits menacent la stabilité géopolitique de la planète. L'absence de contrepoids à la puissance des États-Unis leur confère le rôle de gendarme du monde, par l'intermédiaire de l'ONU ou de l'Otan.

CONSULTER...

Allemagne

Articles concernant les conflits mentionnés

Carte Amérique

Les États-Unis, présence militaire et économique

Inégalités hommes femmes

La comparaison systématique des niveaux de développement par pays s'effectue grâce à des indices élaborés au début des années 1990. Les inégalités entre hommes et femmes commencent à être prises en compte, essentiellement à travers trois critères.

Accès à la culture – et à une possibilité de liberté économique et politique : le taux d'alphabétisation des femmes est le plus souvent inférieur, parfois très inférieur à celui des hommes.

Reconnaissance effective de l'existence économique et politique des femmes : leur participation à l'économie est en moyenne inférieure de 30 % à celle des hommes ; cette inégalité économique se constate même dans les pays développés, où les taux d'alphabétisation des deux sexes sont pourtant similaires. Enfin, le nombre de femmes élues dans les parlements nationaux est toujours minoritaire.

Droit à la vie et à la contraception. De nombreux pays, sous toutes les latitudes, n'ont pas de politique de contraception généralisée. Plus de trente pays, dispersés sur trois continents, connaissent une sous-natalité féminine et/ou une surmortalité des filles avant cinq ans. D'autres enfin, situés en Afrique subtropicale, tolèrent encore les mutilations sexuelles.

Alphabétisation différentielle

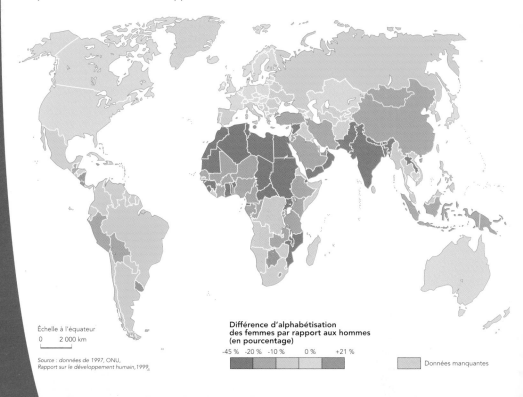

Échelle à l'équateur
0   2 000 km

Source : données de 1997, ONU,
Rapport sur le développement humain, 1999.

Différence d'alphabétisation
des femmes par rapport aux hommes
(en pourcentage)

-45 %   -20 %   -10 %   0 %   +21 %

Données manquantes

Inégalités économiques et politiques

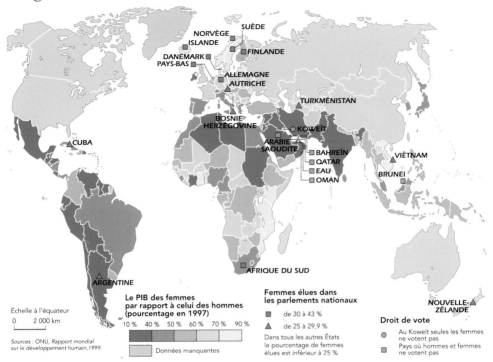

Échelle à l'équateur
0   2 000 km

Sources : ONU, Rapport mondial
sur le développement humain, 1999.

**Le PIB des femmes
par rapport à celui des hommes
(pourcentage en 1997)**
10 %   40 %   50 %   60 %   70 %   90 %

Données manquantes

**Femmes élues dans
les parlements nationaux**
■ de 30 à 43 %
▲ de 25 à 29,9 %

Dans tous les autres États
le pourcentage de femmes
élues est inférieur à 25 %

Droit de vote
● Au Koweït seules les femmes
ne votent pas
■ Pays où hommes et femmes
ne votent pas

Contraintes familiales et violences sexuelles

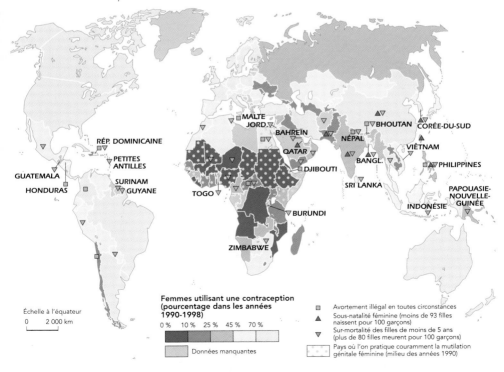

Échelle à l'équateur
0   2 000 km

**Femmes utilisant une contraception
(pourcentage dans les années
1990-1998)**
0 %   10 %   25 %   45 %   70 %

Données manquantes

■ Avortement illégal en toutes circonstances
▲ Sous-natalité féminine (moins de 93 filles
naissent pour 100 garçons)
▽ Sur-mortalité des filles de moins de 5 ans
(plus de 80 filles meurent pour 100 garçons)
⬚ Pays où l'on pratique couramment la mutilation
génitale féminine (milieu des années 1990)

Les grands fléaux

La pauvreté

Échelle à l'équateur
0   2 000 km

Indice de développemement humain

0,403 0,500 0,667 0,800 0,906

Développemement
faible   moyen   élevé

Données manquantes

Source : ONU, Rapport mondial sur le développement humain,1999.

La drogue

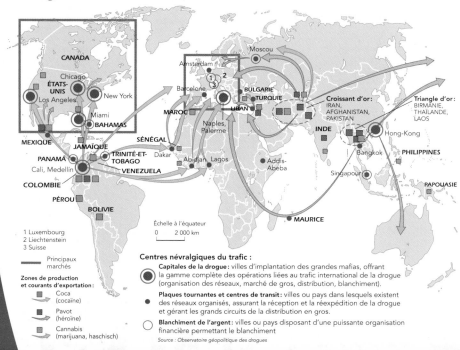

CANADA

Chicago
ÉTATS-UNIS
Los Angeles   New York

Miami
BAHAMAS

MEXIQUE

JAMAÏQUE   SÉNÉGAL
PANAMÁ   TRINITÉ-ET-TOBAGO   Dakar
Cali, Medellín   VENEZUELA   Abidjan   Lagos
COLOMBIE

PÉROU

BOLIVIE

Moscou

Amsterdam

Barcelone   1 2
                  3
                 BULGARIE
MAROC   TURQUIE
                LIBAN
        Naples,
        Palerme

                 Addis-
                 Abéba

Croissant d'or :
IRAN,
AFGHANISTAN,
PAKISTAN

INDE

Singapour

Triangle d'or :
BIRMANIE,
THAÏLANDE,
LAOS

Hong-Kong

Bangkok   PHILIPPINES

PAPOUASIE

MAURICE

Échelle à l'équateur
0   2 000 km

1 Luxembourg
2 Liechtenstein
3 Suisse

Principaux marchés

Zones de production et courants d'exportation :

Coca (cocaïne)

Pavot (héroïne)

Cannabis (marijuana, haschisch)

Centres névralgiques du trafic :

Capitales de la drogue : villes d'implantation des grandes mafias, offrant la gamme complète des opérations liées au trafic international de la drogue (organisation des réseaux, marché de gros, distribution, blanchiment).

Plaques tournantes et centres de transit : villes ou pays dans lesquels existent des réseaux organisés, assurant la réception et la réexpédition de la drogue et gérant les grands circuits de la distribution en gros.

Blanchiment de l'argent : villes ou pays disposant d'une puissante organisation financière permettant le blanchiment

Source : Observatoire géopolitique des drogues

Le sida

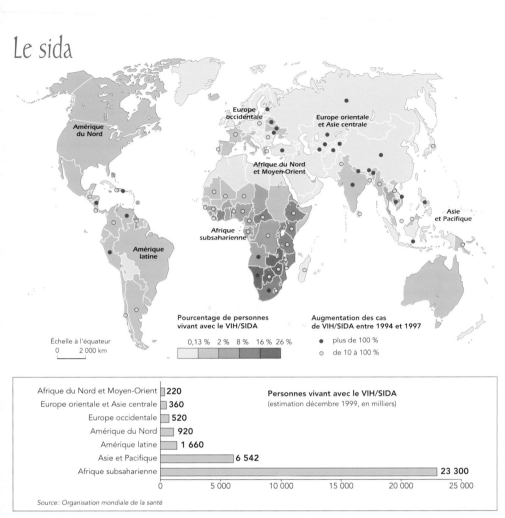

Pourcentage de personnes vivant avec le VIH/SIDA

0,13 % 2 % 8 % 16 % 26 %

Échelle à l'équateur
0   2 000 km

Augmentation des cas de VIH/SIDA entre 1994 et 1997

● plus de 100 %
○ de 10 à 100 %

Personnes vivant avec le VIH/SIDA
(estimation décembre 1999, en milliers)

Afrique du Nord et Moyen-Orient	220
Europe orientale et Asie centrale	360
Europe occidentale	520
Amérique du Nord	920
Amérique latine	1 660
Asie et Pacifique	6 542
Afrique subsaharienne	23 300

0   5 000   10 000   15 000   20 000   25 000

Source : Organisation mondiale de la santé

Pauvreté, drogue et sida constituent trois des grands fléaux de la planète. L'indicateur de développement humain (IDH) est un indice, construit par les organisations de l'ONU, qui regroupe l'espérance de vie, le taux d'alphabétisation, le taux de scolarisation et le PIB par habitant. L'Afrique subsaharienne et l'Asie du Sud restent les principales zones de pauvreté. Les flux de drogue reflètent eux la partition entre zone de consommation (Amérique du Nord, Europe occidentale) et zone de production (régions tropicales), le commerce conduit à la prolifération de mafias. Quant au sida, près de 30 millions de personnes en sont atteints. Si la situation se stabilise en Amérique du Nord et en Europe occidentale, l'Afrique subsaharienne est la région la plus affectée, tandis que l'Europe orientale et l'Asie connaissent une transmission rapide de l'épidémie.

Consulter...

Bangladesh   Inde   Liban   Pakistan
Colombie   Irak   Mafia   Soudan
Égypte   Iran   Medellín

Carte Amérique
Le trafic de la drogue

Les grands ensembles régionaux

SECONDE PARTIE

Afrique

L'Afrique dans le monde

Continent le plus pauvre de la planète, l'Afrique pèse peu dans les relations économiques internationales et sa part diminue en valeur. L'Afrique exporte principalement des matières premières énergétiques (pétrole, gaz naturel, charbon), minières (fer, cuivre, or, etc.) et agricoles (coton, café, cacao, fruits tropicaux) et importe surtout des

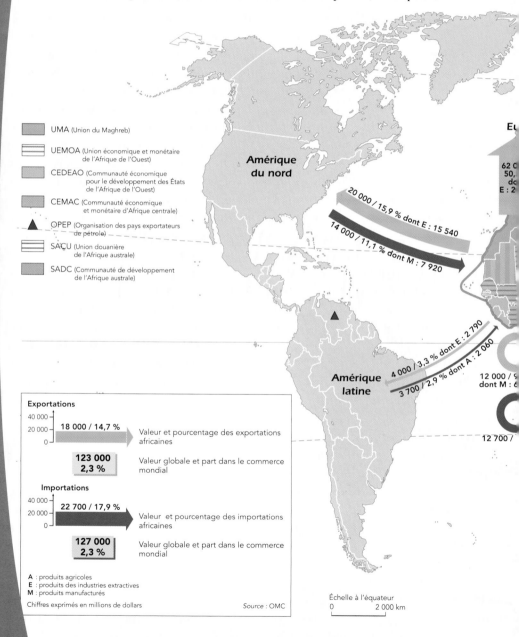

UMA (Union du Maghreb)

UEMOA (Union économique et monétaire de l'Afrique de l'Ouest)

CEDEAO (Communauté économique pour le développement des États de l'Afrique de l'Ouest)

CEMAC (Communauté économique et monétaire d'Afrique centrale)

OPEP (Organisation des pays exportateurs de pétrole)

SACU (Union douanière de l'Afrique australe)

SADC (Communauté de développement de l'Afrique australe)

Amérique du nord

Eu

62 C
50,
do
E : 2

20 000 / 15,9 % dont E : 15 540

14 000 / 11,1 % dont M : 7 920

4 000 / 3,3 % dont E : 2 790

3 700 / 2,9 % dont A : 2 060

Amérique latine

12 000 / 9
dont M : 6

12 700 /

Exportations

18 000 / 14,7 %
Valeur et pourcentage des exportations africaines

123 000
2,3 %
Valeur globale et part dans le commerce mondial

Importations

22 700 / 17,9 %
Valeur et pourcentage des importations africaines

127 000
2,3 %
Valeur globale et part dans le commerce mondial

A : produits agricoles
E : produits des industries extractives
M : produits manufacturés

Chiffres exprimés en millions de dollars

Source : OMC

Échelle à l'équateur
0   2 000 km

produits manufacturés. La moitié du commerce africain est réalisée avec l'Europe, en raison de l'ancienneté des liens qui ont perduré après la décolonisation. Depuis une décennie, les États africains tentent de promouvoir des organisations régionales de marché dont les résultats économiques commencent à se faire sentir.

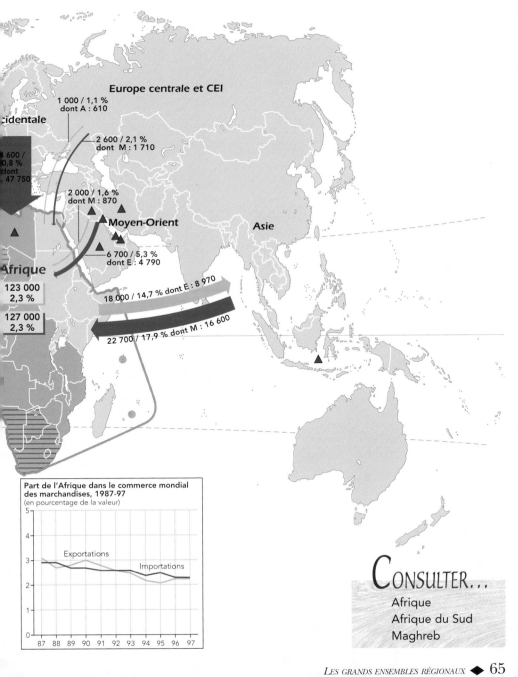

Part de l'Afrique dans le commerce mondial des marchandises, 1987-97
(en pourcentage de la valeur)

Europe centrale et CEI

1 000 / 1,1 %
dont A : 610

2 600 / 2,1 %
dont M : 1 710

:identale

600 /
0,8 %
dont
47 750

2 000 / 1,6 %
dont M : 870

Moyen-Orient

Asie

6 700 / 5,3 %
dont E : 4 790

Afrique

123 000
2,3 %

127 000
2,3 %

18 000 / 14,7 % dont E : 8 970

22 700 / 17,9 % dont M : 16 600

Exportations

Importations

CONSULTER…

Afrique
Afrique du Sud
Maghreb

Désertification et famine

Exploitation des sols

- Zones où il existe encore des terres cultivables disponibles
- Zones où toutes les terres cultivables sont mises en valeur
- Zones où le rapport entre les terres cultivables disponibles et la population est déficitaire
- Zones où les sols sont incultivables

Avancée du désert et érosion des sols

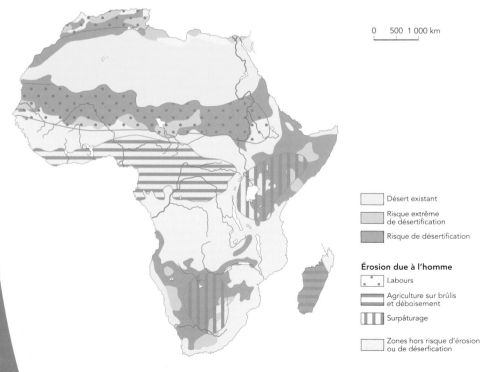

0   500 1 000 km

- Désert existant
- Risque extrême de désertification
- Risque de désertification

Érosion due à l'homme

- Labours
- Agriculture sur brûlis et déboisement
- Surpâturage
- Zones hors risque d'érosion ou de déserfication

Famines

 Régions touchées par la famine

NIGER Dernières grandes famines
1972-1974

Sous-alimentation
Disponibilités énergétiques alimentaires
1994-1996 (kcal/personne/jour)

2000 2300 2600 2900 3200

Données manquantes

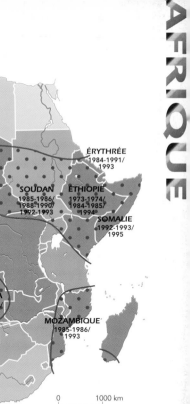

NIGER
1972-1974

ÉRYTHRÉE
1984-1991/
1993

NIGERIA
1968-1970

SOUDAN
1985-1986/
1988-1990/
1992-1993

ÉTHIOPIE
1973-1974/
1984-1985/
1994

SOMALIE
1992-1993/
1995

ANGOLA
1985-1986/
1993

MOZAMBIQUE
1985-1986/
1993

0   1000 km

Sous-alimentation et famine

L'Afrique est un continent fragile, tant du point de vue climatique et pédologique qu'humain. La faiblesse des processus techniques entrave une exploitation rationnelle des sols, tandis que l'importante extension des zones arides ou sèches contribue à limiter les régions fertiles. La disponibilité alimentaire minimale par habitant n'est pas assurée en permanence à l'ensemble de la population, dont une partie vit en état de malnutrition chronique. Ainsi sous-alimentation, désertification et exploitation excessive des sols, due aux labours, au surpâturage, au déboisement et à l'agriculture sur brûlis, se combinent en Afrique subsaharienne, provoquant de nombreuses famines notamment dans la zone sahélienne. Toutefois, ce sont les guerres civiles qui ont engendré les famines les plus meurtrières, dans la mesure où les belligérants ont utilisé l'arme alimentaire afin de faire céder leur adversaire.

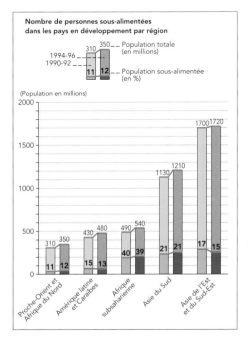

Nombre de personnes sous-alimentées
dans les pays en développement par région

C**ONSULTER**...

Afrique   Sahel
Éthiopie   Somalie
Sahara   Soudan

Dynamiques urbaines

La population africaine est en voie d'urbanisation accélérée. Les ruraux restent majoritaires mais l'exode rural se traduit par la pauvreté et la précarité. Le rythme de croissance de la population a doublé en dix ans et revêt une grande ampleur, notamment dans la région du golfe de Guinée. Cependant, la transformation des modes de vie accélère l'entrée dans l'économie marchande et entraîne une baisse rapide de la fécondité dans les zones urbaines. L'Afrique entame par les villes sa transition démographique et son entrée dans l'économie mondiale.

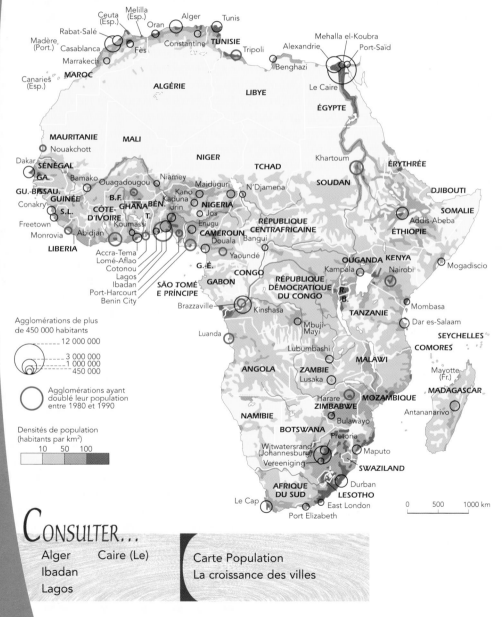

Agglomérations de plus
de 450 000 habitants
------- 12 000 000
3 000 000
1 000 000
450 000

Agglomérations ayant
doublé leur population
entre 1980 et 1990

Densités de population
(habitants par km²)
10   50   100

0   500   1000 km

Cᴏɴsᴜʟᴛᴇʀ...
Alger   Caire (Le)
Ibadan
Lagos

Carte Population
La croissance des villes

L'Afrique des grands lacs

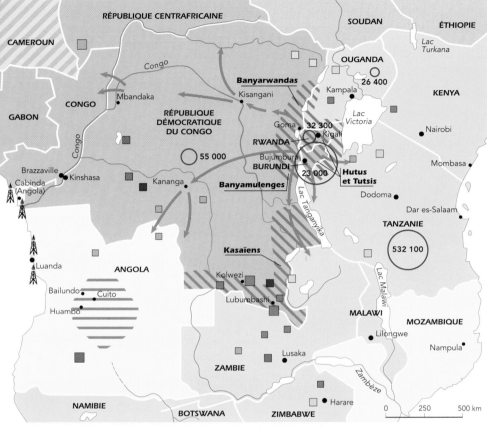

Bien que regorgeant de ressources minières, les pays de cette zone sont parmi les plus pauvres du monde. Cette situation s'explique par les difficultés rencontrées dans la gestion de l'après-indépendance, qui a vu se succéder des guerres civiles, des dictatures et des conflits interethniques, qui ont dégénéré en génocides. Les conflits sont aigus au contact des aires francophone et anglophone.

Aires linguistiques :
- Francophone
- Anglophone
- Lusophone

Population réfugiée ou déplacée par pays d'accueil, au 1er janvier 1999.

------ 500 000
------ 200 000
------ 50 000

- Or
- Diamant
- Fer
- Cuivre, cobalt
- Manganèse
- Uranium
- Pétrole

Zones d'influence de l'Unita

Problèmes interethniques graves

Déplacements des réfugiés rwandais et burundais (1994-1998)

CONSULTER...

Angola   Congo (Rép. Dém. du)   Rwanda
Burundi   Mozambique
Congo   Ouganda

Asie

L'Asie dans le monde

Avec le quart des échanges internationaux, l'Asie a conquis la deuxième place derrière l'Europe. Le Japon, troisième puissance commerciale mondiale, a longtemps tiré ses partenaires régionaux les quatre « dragons » (Corée-du-Sud, Hong-Kong, Taiwan et Singapour) qui, ensemble, commercent plus que l'Allemagne. Toutefois l'Asie du Sud reste en retard : l'Inde, avec 17 % de la population mondiale, ne réalise que 0,66 % du commerce mondial. Le Moyen-Orient demeure essentiellement un fournisseur de pétrole, dont la place dépend du prix du baril. La crise financière de l'Asie du Sud-Est (1997-1998) s'atténue avec les politiques d'assainissement et la baisse des prix des produits exportés relance le commerce.

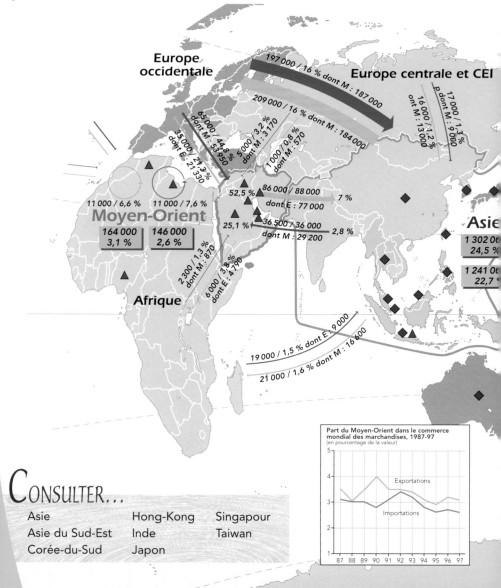

Part du Moyen-Orient dans le commerce mondial des marchandises, 1987-97
(en pourcentage de la valeur)

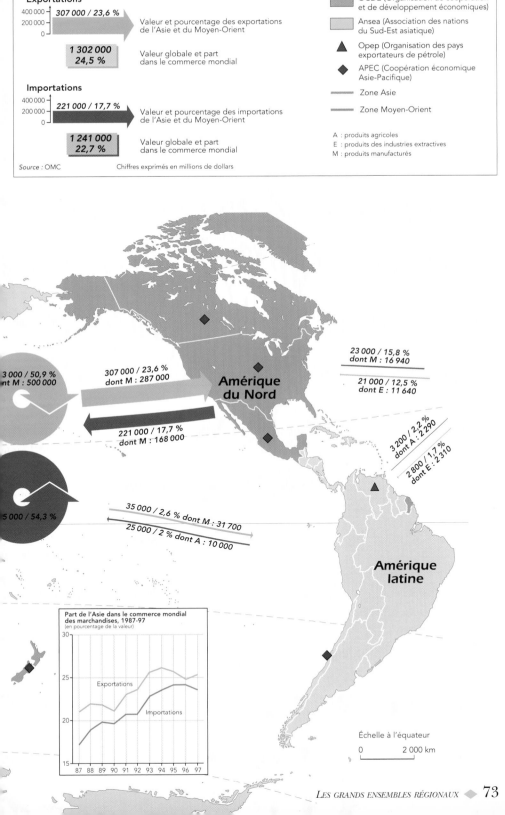

Exportations

400 000
200 000
0

307 000 / 23,6 %

Valeur et pourcentage des exportations
de l'Asie et du Moyen-Orient

1 302 000
24,5 %

Valeur globale et part
dans le commerce mondial

Importations

400 000
200 000
0

221 000 / 17,7 %

Valeur et pourcentage des importations
de l'Asie et du Moyen-Orient

1 241 000
22,7 %

Valeur globale et part
dans le commerce mondial

Source : OMC   Chiffres exprimés en millions de dollars

OCDE (Organisation de coopération
et de développement économiques)

Ansea (Association des nations
du Sud-Est asiatique)

Opep (Organisation des pays
exportateurs de pétrole)

APEC (Coopération économique
Asie-Pacifique)

Zone Asie

Zone Moyen-Orient

A : produits agricoles
E : produits des industries extractives
M : produits manufacturés

3 000 / 50,9 %
nt M : 500 000

307 000 / 23,6 %
dont M : 287 000

Amérique
du Nord

23 000 / 15,8 %
dont M : 16 940

21 000 / 12,5 %
dont E : 11 640

221 000 / 17,7 %
dont M : 168 000

3 200 / 2,2 %
dont A : 2 290

2 800 / 1,7 %
dont E : 2 310

5 000 / 54,3 %

35 000 / 2,6 % dont M : 31 700

25 000 / 2 % dont A : 10 000

Amérique
latine

**Part de l'Asie dans le commerce mondial
des marchandises, 1987-97**
(en pourcentage de la valeur)

30

25

Exportations

20

Importations

15

87 88 89 90 91 92 93 94 95 96 97

Échelle à l'équateur

0   2 000 km

Principaux peuples d'Asie

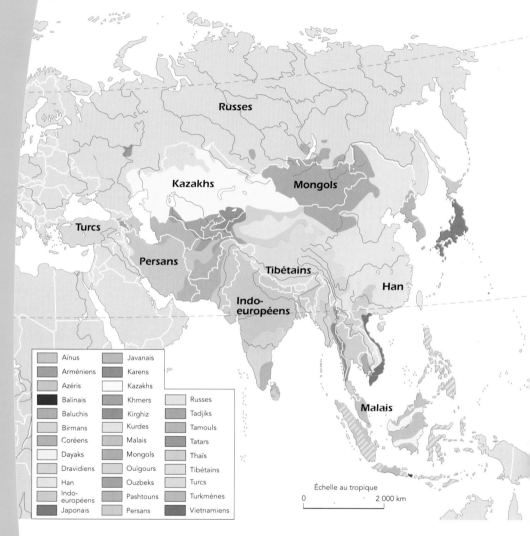

Russes

Kazakhs

Mongols

Turcs

Persans

Tibétains

Han

Indo-européens

Malais

	Aïnus		Javanais			
	Arméniens		Karens			
	Azéris		Kazakhs			
	Balinais		Khmers		Russes	
	Baluchis		Kirghiz		Tadjiks	
	Birmans		Kurdes		Tamouls	
	Coréens		Malais		Tatars	
	Dayaks		Mongols		Thaïs	
	Dravidiens		Ouïgours		Tibétains	
	Han		Ouzbeks		Turcs	
	Indo-européens		Pashtouns		Turkmènes	
	Japonais		Persans		Vietnamiens	

Échelle au tropique

0   2 000 km

L'Asie est composée d'une myriade de peuples, dont certains sont dominants dans une région, tels les Russes au Nord, les turco-mongols en Asie centrale, les Han, les Japonais, les Persans ou les Coréens. Ailleurs, se mêle aux peuples dominants une mosaïque de minorités ethniques qui, comme en Asie du Sud-Est, sont fréquemment maintenues en tutelle, voire persécutées (Tibétains, Karens, Tamouls).

Consulter...

Balinais	Javanais	Malais	Pashtouns
Dayaks	Khmers	Mongols	Tamouls
Dravidiens	Kurdes	Ouïgours	Thaïs

Les deux Asie

INDE 2,1 — Moyenne de l'évolution annuelle du PIB par habitant (1960-1995), en %

Asie sèche
- Zones de déserts
- Zones de montagnes

Asie des moussons
- Riz dominant
- Riz non dominant (blé et maïs)

RUSSIE 0,6

AZERBAÏDJAN -14,8

GÉORGIE -1,4

ARMÉNIE -1,6

KAZAKHSTAN -7,8

MONGOLIE -0,3

CORÉE-DU-NORD

CORÉE-DU-SUD 7,1

JAPON 4,8

OUZBÉKISTAN -3

KIRGHIZSTAN -6,3

TURQUIE 2,6

TURKMÉNISTAN

TADJIKISTAN -11,8

CHYPRE 6,2

SYRIE 2,2

IRAN -1,9

CHINE 5,5

LIBAN 1,7

IRAK -4,6

AFGHANISTAN

BHOUTAN 4,1

JORD. -2,9

KOWEIT

NÉPAL 0,9

ISRAËL 3,2

QATAR -2,9

BAHREÏN -1,4

PAKISTAN 3

BANGLADESH 0,9

Hong-Kong 5,8

ARABIE SAOUDITE 0,7

EAU -4,1

INDE 2,1

BIRMANIE (MYANMAR)

LAOS 2,2

VIÊTNAM 3,9

OMAN 5,9

THAÏLANDE 5,3

YÉMEN

CAMBODGE 3

PHILIPPINES 1,2

BRUNEI -0,9

SRI LANKA 2,7

MALAYSIA 4,3

MALDIVES 5,1

SINGAPOUR 6,4

INDONÉSIE 3,9

Cercle polaire arctique

Tropique du Cancer

Échelle au tropique
0 — 2 000 km

De la mer Rouge au Kamtchatka, l'Asie aride et montagneuse est faiblement peuplée, et son économie accuse un net retard. En revanche, l'Asie des moussons, au Sud et au Sud-Est, est la zone la plus peuplée du monde, grâce aux qualités énergétiques du riz et aux forts rendements atteints. Au sein de cette zone, l'Est, du Japon à l'Indonésie, a connu un essor industriel et une croissance du PIB par habitant très vifs.

CONSULTER...

Israël et les Palestiniens

Lorsque l'ONU décide en 1947 le partage de la Palestine entre un État juif et un État arabe, l'affrontement entre les deux peuples qui revendiquent la même terre devient inévitable. L'histoire d'Israël est rythmée par quatre guerres (1948-1949, 1956, 1967, 1973) et de multiples conflits, attentats et représailles. En 1993, les Palestiniens obtiennent cependant de retrouver une patrie autonome, en dépit des difficultés d'application des accords. Tandis que le problème du retour des réfugiés palestiniens demeure en suspens, la bataille de la colonisation de la Cisjordanie fait rage, exacerbée par la volonté des partisans du grand Israël de contrôler l'accès à la nappe phréatique, pour les besoins de l'économie israélienne. Établir une paix durable en Palestine reste un enjeu majeur pour la communauté internationale.

1947

— Palestine sous mandat britannique

Plan de partage de l'ONU

- État arabe
- État juif
- Zone internationale

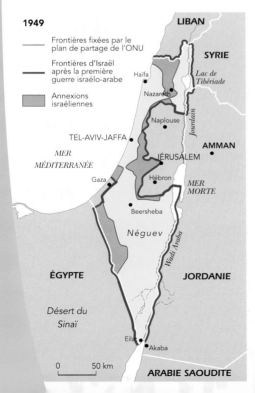

1949

— Frontières fixées par le plan de partage de l'ONU

— Frontières d'Israël après la première guerre israélo-arabe

- Annexions israéliennes

1967-2000

- Territoires occupés par Israël depuis 1967
- Jérusalem-Est annexée en 1967
- Golan occupé depuis 1967 et annexé en 1981
- Zone du Golan restitué à la Syrie en 1974
- Zone de sécurité du Liban-Sud contrôlée par l'armée israélienne
- Zone sous responsabilité conjointe palestinienne et israélienne
- Territoires palestiniens autonomes
- Passage sécurisé sud

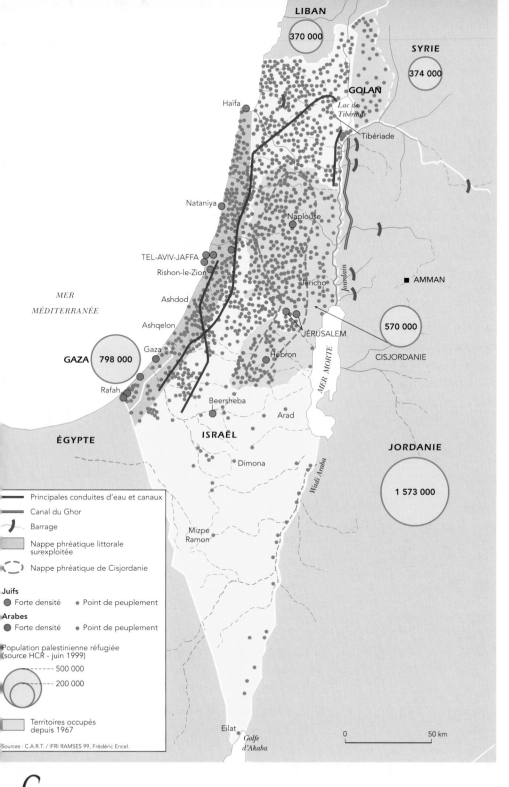

LIBAN

370 000

SYRIE

374 000

GOLAN

Haïfa

Lac de Tibériade

Tibériade

Nataniya

Naplouse

TEL-AVIV-JAFFA

Rishon-le-Zion

Jéricho

Jourdain

■ AMMAN

MER

MÉDITERRANÉE

Ashdod

Ashqelon

570 000

JÉRUSALEM

CISJORDANIE

GAZA   798 000

Gaza

Hébron

MER MORTE

Rafah

Beersheba

Arad

ÉGYPTE

ISRAËL

JORDANIE

Dimona

Wadi Araba

1 573 000

Principales conduites d'eau et canaux

Canal du Ghor

Barrage

Nappe phréatique littorale surexploitée

Nappe phréatique de Cisjordanie

Juifs

● Forte densité   ● Point de peuplement

Arabes

● Forte densité   ● Point de peuplement

Population palestinienne réfugiée
(source HCR - juin 1999)

---- 500 000

---- 200 000

Territoires occupés depuis 1967

Mizpe Ramon

Eilat

Golfe d'Akaba

0   50 km

Sources : C.A.R.T. / IFRI RAMSES 99, Frédéric Encel.

CONSULTER...

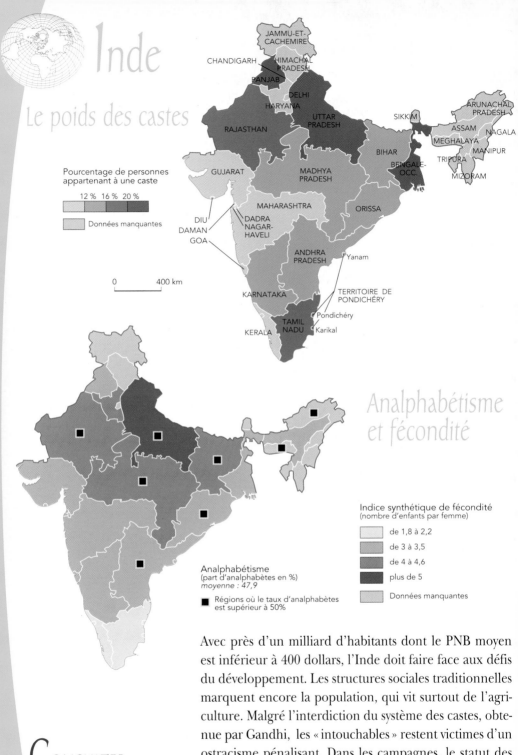

Inde

Le poids des castes

Pourcentage de personnes
appartenant à une caste

12 % 16 % 20 %

Données manquantes

JAMMU-ET-CACHEMIRE
CHANDIGARH
HIMACHAL PRADESH
PANJAB
DELHI
HARYANA
UTTAR PRADESH
RAJASTHAN
SIKKIM
ARUNACHAL PRADESH
ASSAM
NAGALA
MEGHALAYA
MANIPUR
TRIPURA
MIZORAM
BIHAR
BENGALE-OCC.
GUJARAT
MADHYA PRADESH
MAHARASHTRA
ORISSA
DIU
DADRA NAGAR-HAVELI
DAMAN
GOA
ANDHRA PRADESH
Yanam
KARNATAKA
TERRITOIRE DE PONDICHÉRY
Pondichéry
TAMIL NADU
Karikal
KERALA

0   400 km

Analphabétisme et fécondité

Indice synthétique de fécondité
(nombre d'enfants par femme)

de 1,8 à 2,2

de 3 à 3,5

de 4 à 4,6

plus de 5

Données manquantes

Analphabétisme
(part d'analphabètes en %)
moyenne : 47,9

■ Régions où le taux d'analphabètes
est supérieur à 50%

CONSULTER...

Inde

Avec près d'un milliard d'habitants dont le PNB moyen est inférieur à 400 dollars, l'Inde doit faire face aux défis du développement. Les structures sociales traditionnelles marquent encore la population, qui vit surtout de l'agriculture. Malgré l'interdiction du système des castes, obtenue par Gandhi, les « intouchables » restent victimes d'un ostracisme pénalisant. Dans les campagnes, le statut des femmes, qui les maintient dans un état inférieur, contribue à entretenir l'analphabétisme et par voie de conséquence un taux de natalité encore élevé (2,7 % en 1997), bien qu'en diminution (3,5 % en 1980).

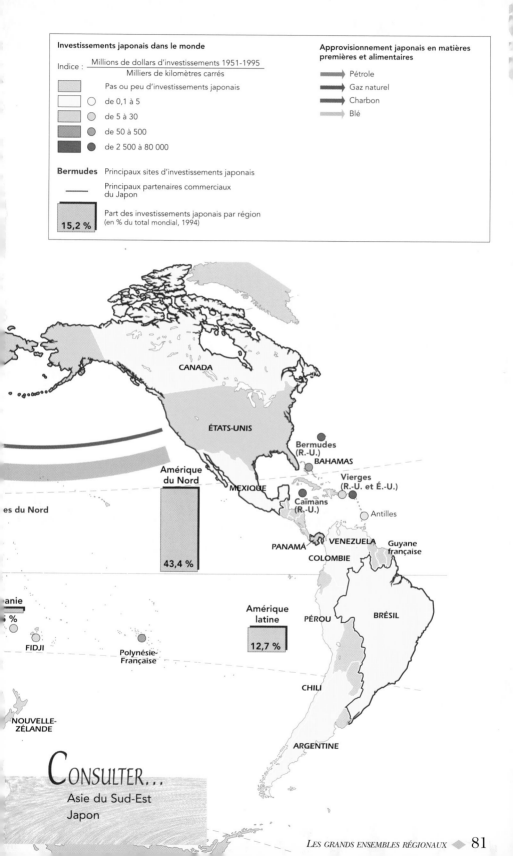

Investissements japonais dans le monde

Indice : $\dfrac{\text{Millions de dollars d'investissements 1951-1995}}{\text{Milliers de kilomètres carrés}}$

- Pas ou peu d'investissements japonais
- de 0,1 à 5
- de 5 à 30
- de 50 à 500
- de 2 500 à 80 000

Bermudes Principaux sites d'investissements japonais

Principaux partenaires commerciaux du Japon

15,2 % Part des investissements japonais par région (en % du total mondial, 1994)

Approvisionnement japonais en matières premières et alimentaires

- Pétrole
- Gaz naturel
- Charbon
- Blé

CANADA

ÉTATS-UNIS

Bermudes (R.-U.)

BAHAMAS

Vierges (R.-U. et É.-U.)

Amérique du Nord

MEXIQUE

Caïmans (R.-U.)

Antilles

es du Nord

PANAMÁ

VENEZUELA

Guyane française

COLOMBIE

43,4 %

anie

%

FIDJI

Polynésie-Française

Amérique latine

PÉROU

BRÉSIL

12,7 %

CHILI

NOUVELLE-ZÉLANDE

ARGENTINE

Consulter...

Asie du Sud-Est

Japon

Le Japon dans le monde

La croissance de l'économie japonaise, entre les années 1950 et 1990, a porté ce pays au deuxième rang économique mondial. Grâce au très fort taux d'épargne de ses habitants, le Japon est le premier créancier mondial avec 800 milliards de dollars d'avoirs à l'étranger. Les firmes japonaises ont investi dans l'industrie en Europe et en Asie du Sud-Est et ont financé en partie les déficits budgétaires américains. Toutefois, depuis le début des années 1990, la crise financière, boursière et immobilière s'est transformée en une crise de confiance et de consommation. La récession japonaise a contribué à déclencher la crise asiatique de l'été 1997.

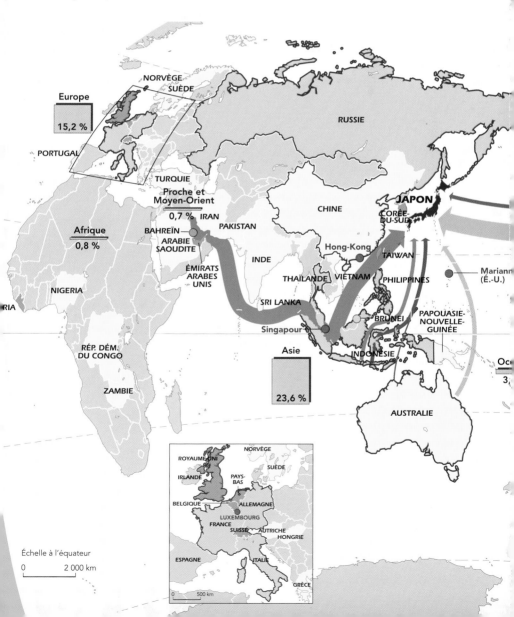

Les trois Chine

Les Han, qui constituent 95 % de la population chinoise, occupent les grandes plaines et les plateaux où poussent le blé (au Nord) et le riz. Les 55 ethnies officiellement recensées occupent de façon parcellaire un territoire aride (Xinjiang), semi-aride (Mongolie-Intérieure) ou montagneux (Tibet, Yunnan). La division traditionnelle entre Chine littorale, de l'Ouest et intérieure est perpétuée depuis 1946 par le régime communiste, qui privilégie le développement de la Chine littorale et de quelques régions de la Chine de l'Ouest, tandis que les minorités ethniques et religieuses sont fréquemment persécutées, notamment au Tibet. La récente transition vers « l'économie socialiste de marché » contribue à accentuer cette partition avec la création de zones économiques spéciales sur le littoral méridional (Xiamen, Shantou, Shenzhen, Zhuhai et Hainan) et l'ouverture de ports au commerce international.

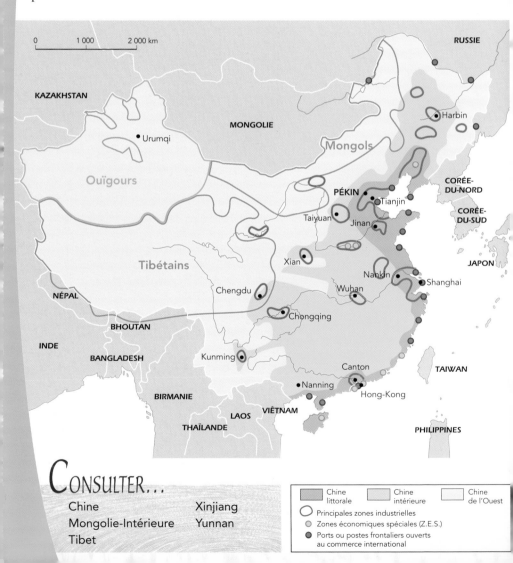

Les Chinois d'outre-mer

Pays à population majoritairement chinoise

Régions d'origine des Chinois d'outre-mer

Chinois d'outre-mer (Part dans la population du pays)
1 %   9 %   49 %

Communautés chinoises importantes

Investissements en Chine des Chinois d'outre-mer

Équateur

CHINE

CORÉE-DU-NORD

CORÉE-DU-SUD

JAPON

PAKISTAN

ÉTATS-UNIS

NÉPAL

BHOUTAN

BANGLADESH

INDE

BIRMANIE

LAOS

TAIWAN

VIÊTNAM

THAÏLANDE

PHILIPPINES

CAMBODGE

SRI LANKA

MALAYSIA

SINGAPOUR

PAPOUASIE-NOUVELLE-GUINÉE

INDONÉSIE

0   1 000   2 000 km

La Chine du Sud-Est est une terre d'émigration vers le rives de la « Méditerranée asiatique ». Environ 25 millions de personnes, pour la plupart originaires de Chine méridionale (Fujian et Guangdong), vivent en Asie du Sud-Est. Majoritaires à Singapour, bien intégrés en Thaïlande, les Chinois d'outre-mer sont parfois victimes de tensions raciales. Inversement, la Chine revendique les archipels Paracels et Spratly. Le régime communiste s'ouvre grâce aux investissements de la diaspora d'Asie, d'Amérique et d'Europe.

Spratly   Îles ou archipels revendiqués par la Chine

Limite des eaux territoriales revendiquées par la Chine

VIÊTNAM
Hanoi

LAOS
Vientiane

THAÏLANDE

CAMBODGE
Phnom Penh

Matsu   Tachen   Senkaku
Quemoy   Taipei
Hong-Kong   Penghu   TAIWAN

Paracels

PHILIPPINES
Manille

Spratly

BRUNEI   Bandar Seri Begawan

MALAYSIA

SINGAPOUR

INDONÉSIE

0   500   1 000 km

CONSULTER...

Amérique

L'Amérique du Nord dans le monde

Pour l'OMC, l'Amérique du Nord est composée des États-Unis et du Canada, mais depuis qu'ils se sont regroupés avec le Mexique dans l'Alena, ces trois pays constituent une puissance économique considérable, dont l'intégration va croissante. Toutefois, l'influence des États-Unis, en grande partie autosuffisants, limite à moins de 20 % le poids de l'Amérique du Nord dans le commerce international. Les échanges, principalement de produits manufacturés, se font avec l'Alena, l'Asie du Sud-Est, l'Europe occidentale et l'Amérique latine. La faiblesse du commerce avec l'Europe de l'Est, le Moyen-Orient et l'Afrique reflète le faible développement de ces zones par rapport à l'Amérique du Nord.

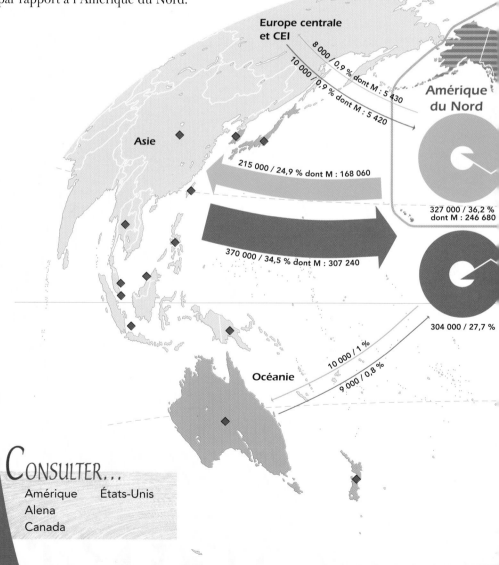

Europe centrale et CEI

8 000 / 0,9 % dont M : 5 430

10 000 / 0,9 % dont M : 5 420

Amérique du Nord

Asie

215 000 / 24,9 % dont M : 168 060

327 000 / 36,2 % dont M : 246 680

370 000 / 34,5 % dont M : 307 240

304 000 / 27,7 %

Océanie

10 000 / 1 %

9 000 / 0,8 %

Consulter...

Amérique   États-Unis
Alena
Canada

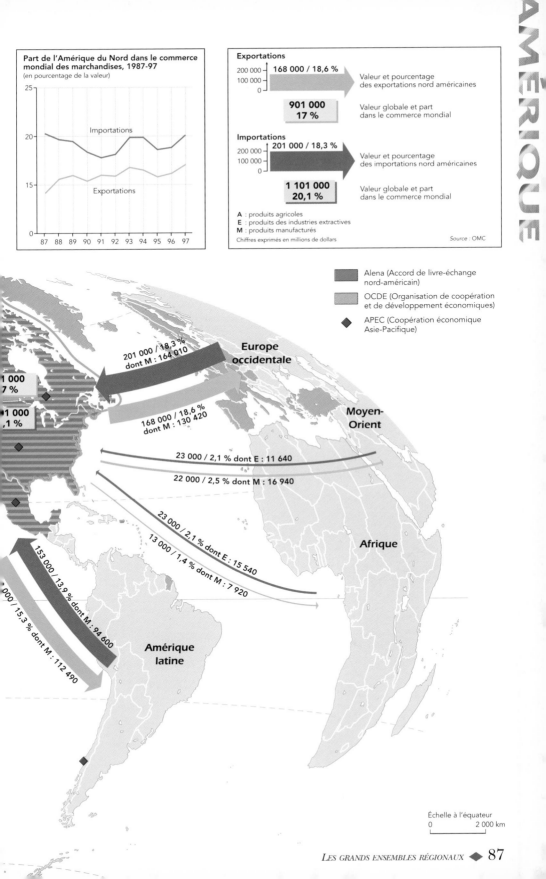

Part de l'Amérique du Nord dans le commerce mondial des marchandises, 1987-97
(en pourcentage de la valeur)

Importations

Exportations

87 88 89 90 91 92 93 94 95 96 97

Exportations

168 000 / 18,6 %
Valeur et pourcentage des exportations nord américaines

901 000
17 %
Valeur globale et part dans le commerce mondial

Importations

201 000 / 18,3 %
Valeur et pourcentage des importations nord américaines

1 101 000
20,1 %
Valeur globale et part dans le commerce mondial

A : produits agricoles
E : produits des industries extractives
M : produits manufacturés

Chiffres exprimés en millions de dollars

Source : OMC

Alena (Accord de livre-échange nord-américain)

OCDE (Organisation de coopération et de développement économiques)

APEC (Coopération économique Asie-Pacifique)

201 000 / 18,3 %
dont M : 164 010

Europe occidentale

Moyen-Orient

168 000 / 18,6 %
dont M : 130 420

23 000 / 2,1 % dont E : 11 640

22 000 / 2,5 % dont M : 16 940

23 000 / 2,1 % dont E : 15 540

13 000 / 1,4 % dont M : 7 920

Afrique

153 000 / 13,9 % dont M : 94 600

000 / 15,3 % dont M : 112 490

Amérique latine

Échelle à l'équateur
0   2 000 km

Les États-Unis
Présence militaire et économique

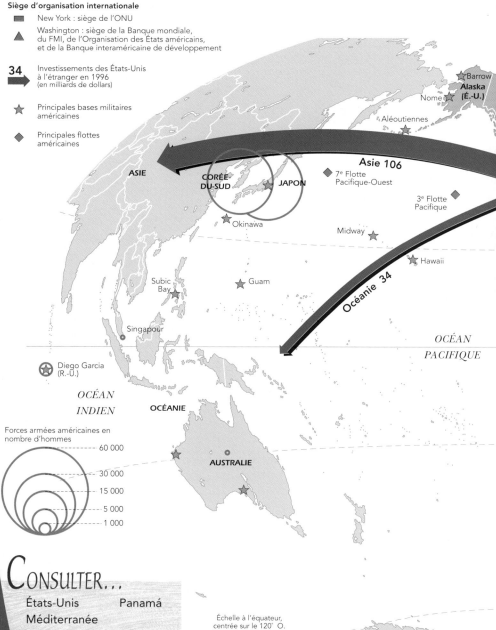

Membres de l'Otan

Siège d'organisation internationale

New York : siège de l'ONU

Washington : siège de la Banque mondiale,
du FMI, de l'Organisation des États américains,
et de la Banque interaméricaine de développement

34 Investissements des États-Unis
à l'étranger en 1996
(en milliards de dollars)

Principales bases militaires
américaines

Principales flottes
américaines

Barrow
Alaska
Nome **(É.-U.)**
Aléoutiennes

ASIE

Asie 106

CORÉE-
DU-SUD
JAPON

7e Flotte
Pacifique-Ouest

3e Flotte
Pacifique

Okinawa

Midway

Hawaii

Subic
Bay

Guam

Océanie 34

Singapour

OCÉAN
PACIFIQUE

Diego Garcia
(R.-U.)

OCÉAN
INDIEN

OCÉANIE

Forces armées américaines en
nombre d'hommes

60 000

30 000

15 000

5 000

1 000

AUSTRALIE

CONSULTER...

États-Unis   Panamá
Méditerranée
Otan

Échelle à l'équateur,
centrée sur le 120° O.

0   1 500   3 000 km

ANTARCTIQUE

L'influence américaine, avant tout économique et militaire, voire culturelle, confère aux États-Unis le rang de première puissance politique du monde. Appuyés par les forces européennes et canadiennes de l'Otan, les Américains ont conservé de la Deuxième Guerre mondiale, puis de la guerre froide, des installations militaires, le déploiement de forces armées et de flottes maritimes, dispersées à travers les continents et les océans. Le poids des investissements américains, près de 800 milliards de dollars, permet de renforcer les liens avec les alliés européens (50 %), latino-américains (20 %) et de la zone Asie-Pacifique (20 %). En Europe de l'Est et au Moyen-Orient, où les investissements sont faibles, l'influence américaine se traduit par une présence militaire renforcée.

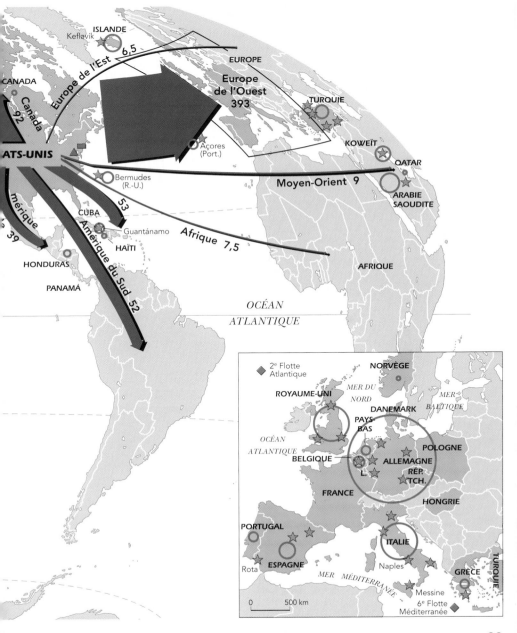

Les États-Unis

La première puissance mondiale

À eux seuls, les États-Unis représentent le quart de la production mondiale. L'Union européenne prise dans son ensemble atteint un niveau comparable mais des divisions l'empêchent de contrebalancer la puissance américaine. Le Japon ou l'Amérique latine représentent à peine 40 % du PNB américain, la Russie moins de 10 %, l'Afrique 6 %, mais la Chine et l'Inde ensemble près de 75 %.

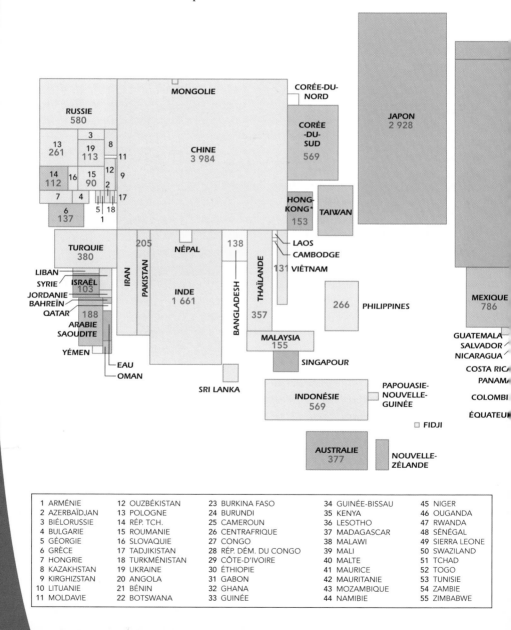

1 ARMÉNIE	12 OUZBÉKISTAN	23 BURKINA FASO	34 GUINÉE-BISSAU	45 NIGER
2 AZERBAÏDJAN	13 POLOGNE	24 BURUNDI	35 KENYA	46 OUGANDA
3 BIÉLORUSSIE	14 RÉP. TCH.	25 CAMEROUN	36 LESOTHO	47 RWANDA
4 BULGARIE	15 ROUMANIE	26 CENTRAFRIQUE	37 MADAGASCAR	48 SÉNÉGAL
5 GÉORGIE	16 SLOVAQUIE	27 CONGO	38 MALAWI	49 SIERRA LEONE
6 GRÈCE	17 TADJIKISTAN	28 RÉP. DÉM. DU CONGO	39 MALI	50 SWAZILAND
7 HONGRIE	18 TURKMÉNISTAN	29 CÔTE-D'IVOIRE	40 MALTE	51 TCHAD
8 KAZAKHSTAN	19 UKRAINE	30 ÉTHIOPIE	41 MAURICE	52 TOGO
9 KIRGHIZSTAN	20 ANGOLA	31 GABON	42 MAURITANIE	53 TUNISIE
10 LITUANIE	21 BÉNIN	32 GHANA	43 MOZAMBIQUE	54 ZAMBIE
11 MOLDAVIE	22 BOTSWANA	33 GUINÉE	44 NAMIBIE	55 ZIMBABWE

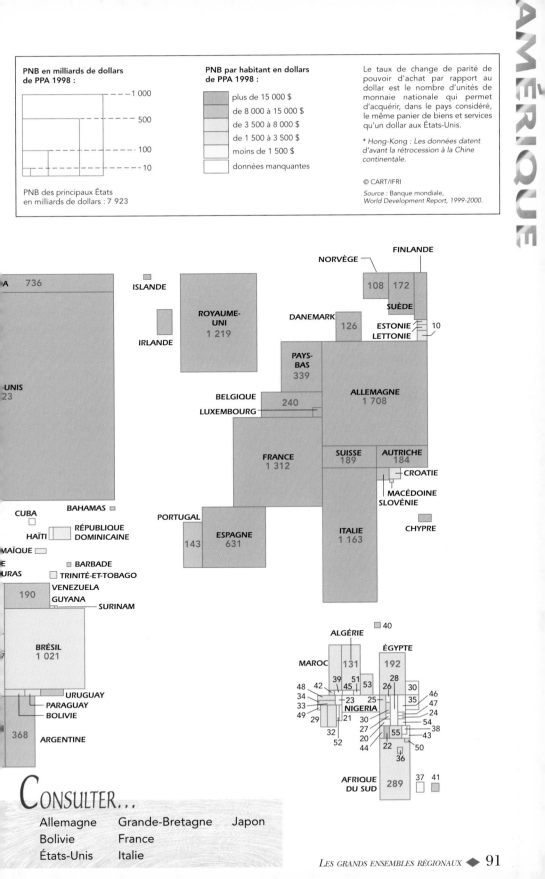

PNB en milliards de dollars de PPA 1998 :

- 1 000
- 500
- 100
- 10

PNB des principaux États en milliards de dollars : 7 923

PNB par habitant en dollars de PPA 1998 :

- plus de 15 000 $
- de 8 000 à 15 000 $
- de 3 500 à 8 000 $
- de 1 500 à 3 500 $
- moins de 1 500 $
- données manquantes

Le taux de change de parité de pouvoir d'achat par rapport au dollar est le nombre d'unités de monnaie nationale qui permet d'acquérir, dans le pays considéré, le même panier de biens et services qu'un dollar aux États-Unis.

Hong-Kong : Les données datent d'avant la rétrocession à la Chine continentale.

© CART/IFRI

Source : Banque mondiale,
World Development Report, 1999-2000.

ISLANDE

...A 736

NORVÈGE FINLANDE
108 172
SUÈDE

ROYAUME-UNI
1 219

DANEMARK
126

ESTONIE
LETTONIE
10

IRLANDE

PAYS-BAS
339

ALLEMAGNE
1 708

...-UNIS
23

BELGIQUE
240
LUXEMBOURG

SUISSE
189

AUTRICHE
184

FRANCE
1 312

CROATIE

MACÉDOINE
SLOVÉNIE

CUBA
BAHAMAS
HAÏTI RÉPUBLIQUE DOMINICAINE
...MAÏQUE
...E BARBADE
...URAS TRINITÉ-ET-TOBAGO

PORTUGAL
143

ESPAGNE
631

ITALIE
1 163

CHYPRE

VENEZUELA
190
GUYANA
SURINAM

BRÉSIL
1 021

URUGUAY
PARAGUAY
BOLIVIE

368 ARGENTINE

40

ALGÉRIE

ÉGYPTE

MAROC 131 192

48 42 39 51 53 28 30 46
34 45 26 35 47
33 23 25 24
49 29 21 NIGERIA 30 54
32 27 55 38
52 20 22 43
44 36 50

AFRIQUE DU SUD 289 37 41

Les États-Unis
Les minorités ethniques

Indiens

Pourcentage
de la population
5 10 15 %

Noirs

Pourcentage
de la population
5 12 20 30 %

Asiatiques

Pourcentage
de la population
1 3 10 %

Hispaniques

Pourcentage
de la population
5 10 15 %

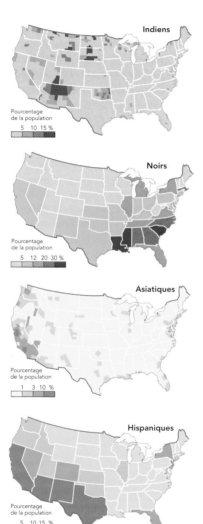

Seattle
WASHINGTON
Portland
OREGON   **IDAHO**

Sacramento
NEVADA   Salt Lake C
San Francisco
UTAH
CALIFORNIE
Los Angeles   **ARIZONA**
San Diego
Tijuana Calexico
Tecate   Phoenix
Mexicali
Nogales Do
Nogales
Agua
Prieta
MEXIQUE

**Agglomérations
de plus d'1 million d'habitants**

○ 1 à 2 millions
◯ 2 à 5 millions
⬤ 5 à 10 millions
⬤ 10 à 15 millions
⬤ plus de 15 millions
d'habitants

CONSULTER...

L'histoire de la construction des États-Unis se traduit sur les cartes de la population. Les Indiens qui peuplaient les grandes plaines du Centre et de l'Est ont été refoulés à la fin du XIXe siècle dans des réserves situées dans des zones souvent montagneuses ou arides. Les Noirs, réduits en esclavage dans les États du Sud, sont restés dans cette région, mais une partie d'entre eux a émigré vers les centres industriels du Nord-Est, puis plus récemment vers la *Sun Belt* (Texas, Californie). Les Asiatiques se sont cantonnés à la façade Pacifique. Les Hispaniques, principalement originaires du Mexique, sont restés dans les États proches de la frontière, tandis que les Cubains s'installent en Floride et les Portoricains choisissent la région de New York. Les immigrants européens, qui constituent le plus fort peuplement (80 %), ont privilégié la région du Nord-Est, avant d'essaimer dans les grandes plaines du centre puis vers le Sud et l'Ouest Pacifique.

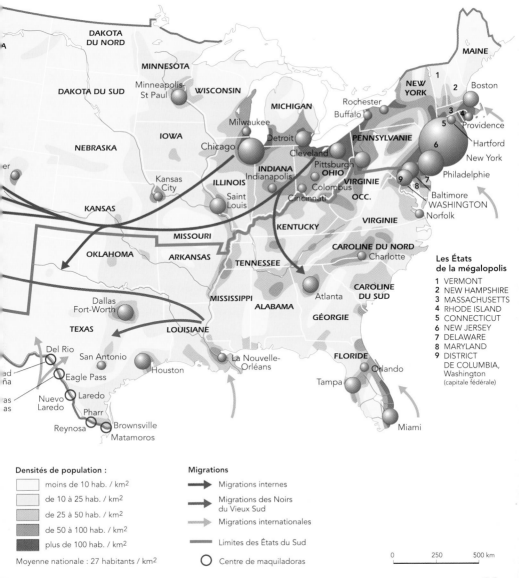

Densités de population :
- moins de 10 hab. / km²
- de 10 à 25 hab. / km²
- de 25 à 50 hab. / km²
- de 50 à 100 hab. / km²
- plus de 100 hab. / km²

Moyenne nationale : 27 habitants / km²

Migrations
- Migrations internes
- Migrations des Noirs du Vieux Sud
- Migrations internationales
- Limites des États du Sud
- ○ Centre de maquiladoras

0   250   500 km

Les États de la mégalopolis
1 VERMONT
2 NEW HAMPSHIRE
3 MASSACHUSETTS
4 RHODE ISLAND
5 CONNECTICUT
6 NEW JERSEY
7 DELAWARE
8 MARYLAND
9 DISTRICT DE COLUMBIA, Washington (capitale fédérale)

L'Amérique latine dans le monde

L'Amérique latine a vu son poids au sein du commerce international, passer de 4 % à près de 6 % en moins d'une décennie. Avec la moitié des échanges, l'Amérique du Nord reste le partenaire privilégié, tandis que le commerce avec les pays développés d'Europe occidentale et d'Asie commence à prendre un essor important. Les pays d'Amérique latine ont mis en place, sur le modèle de l'Alena et du Marché commun européen, quatre organisations régionales de marché qui visent à intensifier les échanges en réduisant les barrières douanières.

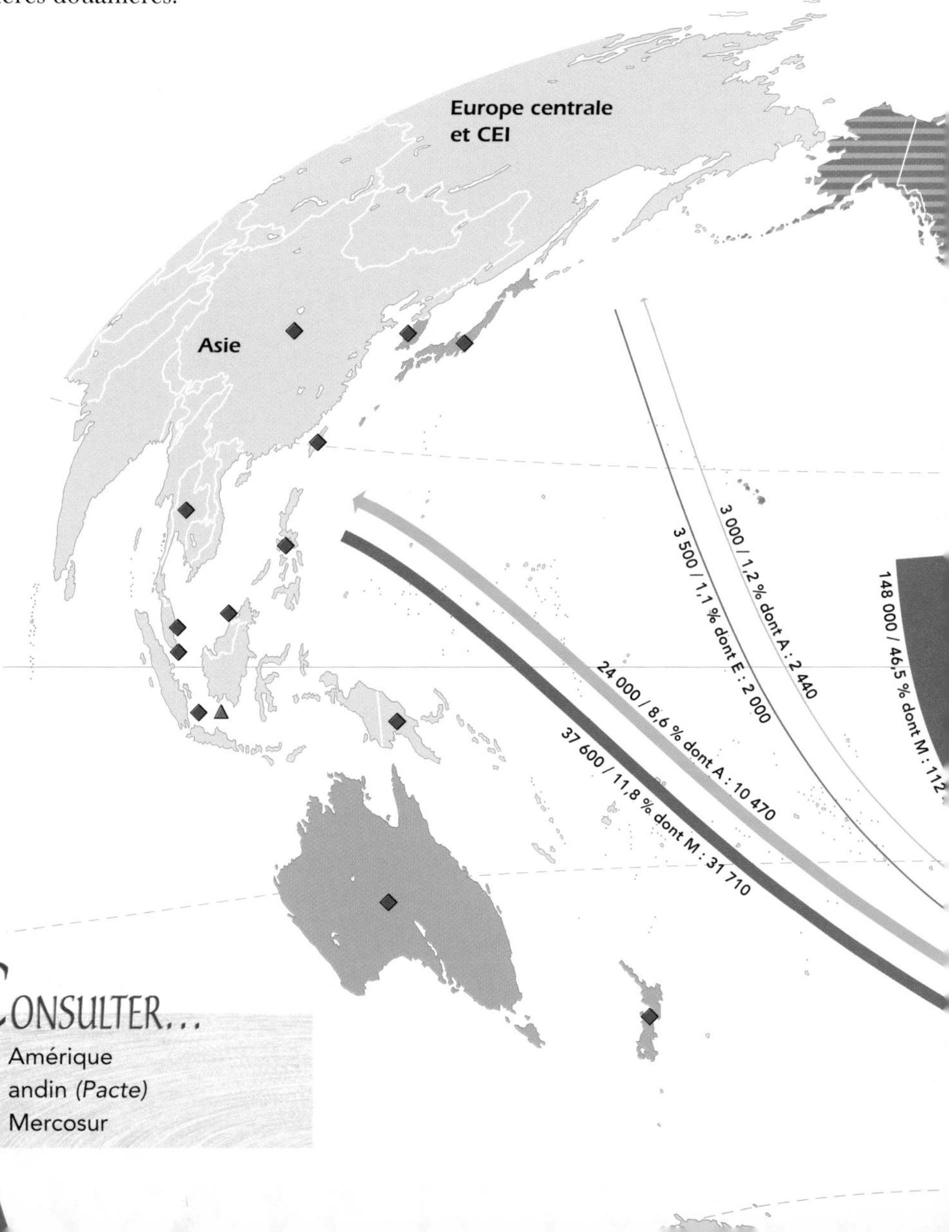

Europe centrale
et CEI

Asie

3 000 / 1,2 % dont A : 2 440

3 500 / 1,1 % dont E : 2 000

24 000 / 8,6 % dont A : 10 470

37 600 / 11,8 % dont M : 31 710

148 000 / 46,5 % dont M : 112

CONSULTER...

Amérique
andin (Pacte)
Mercosur

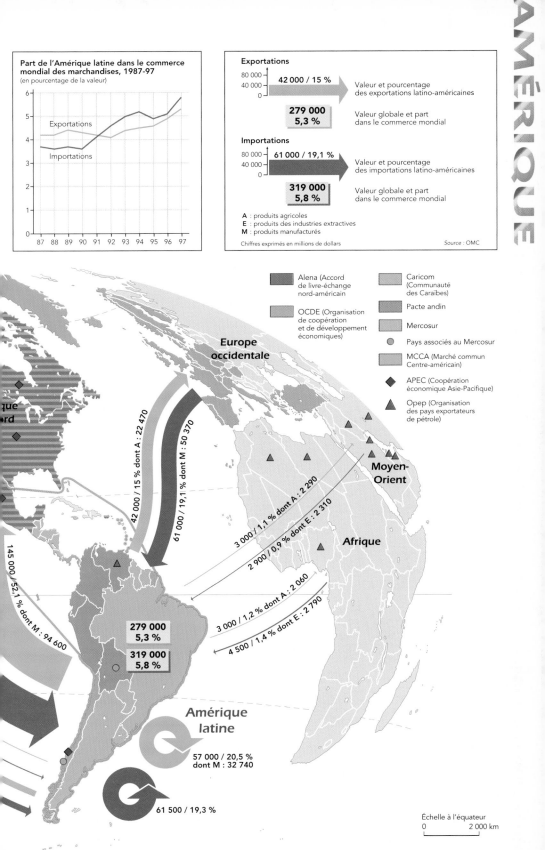

Part de l'Amérique latine dans le commerce mondial des marchandises, 1987-97
(en pourcentage de la valeur)

Exportations

Importations

87 88 89 90 91 92 93 94 95 96 97

Exportations

42 000 / 15 %   Valeur et pourcentage des exportations latino-américaines

279 000
5,3 %   Valeur globale et part dans le commerce mondial

Importations

61 000 / 19,1 %   Valeur et pourcentage des importations latino-américaines

319 000
5,8 %   Valeur globale et part dans le commerce mondial

A : produits agricoles
E : produits des industries extractives
M : produits manufacturés

Chiffres exprimés en millions de dollars

Source : OMC

Alena (Accord de livre-échange nord-américain)

OCDE (Organisation de coopération et de développement économiques)

Caricom (Communauté des Caraïbes)

Pacte andin

Mercosur

Pays associés au Mercosur

MCCA (Marché commun Centre-américain)

APEC (Coopération économique Asie-Pacifique)

Opep (Organisation des pays exportateurs de pétrole)

Europe occidentale

Moyen-Orient

Afrique

Amérique latine

42 000 / 15 % dont A : 22 470

61 000 / 19,1 % dont M : 50 370

145 000 / 52,1 % dont M : 94 600

3 000 / 1,1 % dont A : 2 290

2 900 / 0,9 % dont E : 2 310

3 000 / 1,2 % dont A : 2 060

4 500 / 1,4 % dont E : 2 790

279 000
5,3 %

319 000
5,8 %

57 000 / 20,5 % dont M : 32 740

61 500 / 19,3 %

Échelle à l'équateur
0   2 000 km

La déforestation

La forêt :

en 1890

actuelle

en 2050

Régions forestières
fortement menacées

Principaux axes routiers

Transamazonienne

0   1 000 km

Équateur

Tropique du Capricorne

La forêt équatoriale dense d'Amérique latine a été en partie mise en culture à la fin du XIXᵉ siècle. Depuis les années 1960, les politiques de développement rural ont renforcé l'avancée des fronts pionniers. Le résultat est la disparition accélérée des populations indiennes, la mainmise des latifundiaires sur les petites propriétés ainsi que le recul de la forêt. Toutefois, le reboisement est entrepris au Paraguay et en Amazonie, et la forêt australe du Chili est en expansion.

CONSULTER...

Amazonie   Indiens
Amérique   Paraguay
Brésil

Le trafic de la drogue

Production et trafic de la drogue

- Coca (cocaïne)
- Pavot (héroïne)
- Cannabis (marijuana, haschisch)
- Pays où sont pratiquées la production et la transformation de la drogue
- ● Blanchiment de l'argent
- ○ Métropoles des mafias de la drogue («cartels»)
- Grands courants de trafic

ÉTATS-UNIS

vers les États-Unis

MEXIQUE

Mexico

Miami   BAHAMAS

RÉPUBLIQUE DOMINICAINE

CUBA (R.-U.)   Caimans   HAÏTI

BELIZE   JAMAÏQUE   Porto Rico (É.-U.)   SAINT-KITTS-ET-NEVIS

GUATEMALA   HONDURAS

SALVADOR   NICARAGUA   Curaçao   vers l'Europe

COSTA RICA   Panamá   Caracas   TRINITÉ-ET-TOBAGO

PANAMÁ   VENEZUELA   Georgetown

Medellín   GUYANA   Paramaribo   vers l'Europe

Cali   Bogotá   SURINAM

COLOMBIE   Guyane (Fr.)

vers les États-Unis

Quito

ÉQUATEUR   BRÉSIL

PÉROU

Lima   Brasília

vers l'Asie   La Paz

BOLIVIE

PARAGUAY   Rio de Janeiro

Asunción   São Paulo

CHILI

Santiago   URUGUAY

Montevideo   vers l'Europe

Buenos Aires

ARGENTINE

Revenu brut annuel par hectare
(en dollars/ha)

- Maïs
- Riz
- Bananes
- Café
- Oranges
- Thé
- Cacao
- Coca   Estimation : 3 200 à 6 400 $/ha

0   1 000   2 000   3 000   4 000   5 000   6 000   7 000

Échelle à l'équateur
0   500   1 000 km

La criminalité liée au trafic et au blanchiment de l'argent fait de la drogue un problème social majeur des pays producteurs de l'Amérique latine. Malgré des accords internationaux, l'éradication des cultures demandera beaucoup de patience, tant ce marché reste actif, avec un chiffre d'affaires estimé entre 100 et 200 milliards de dollars et environ 70 millions de consommateurs.

CONSULTER...

Bolivie   Pérou
Colombie   Panamá

Europe

L'Europe dans le monde

Avec près de la moitié de la valeur des échanges et un poids deux fois plus important que celui de l'Amérique du Nord, l'Europe occidentale est la principale puissance commerciale mondiale. L'ancienneté du développement industriel et la constitution précoce du Marché commun européen ont contribué à cette suprématie. L'extension de l'Union européenne vers les pays du groupe de Visegrad accroîtra encore son influence au XXIe siècle. Par comparaison, les États de l'ex-URSS demeurent très faiblement insérés dans les échanges mondiaux. La rupture statistique de 1990 marque le passage d'une économie planifiée à une économie en transition vers le marché.

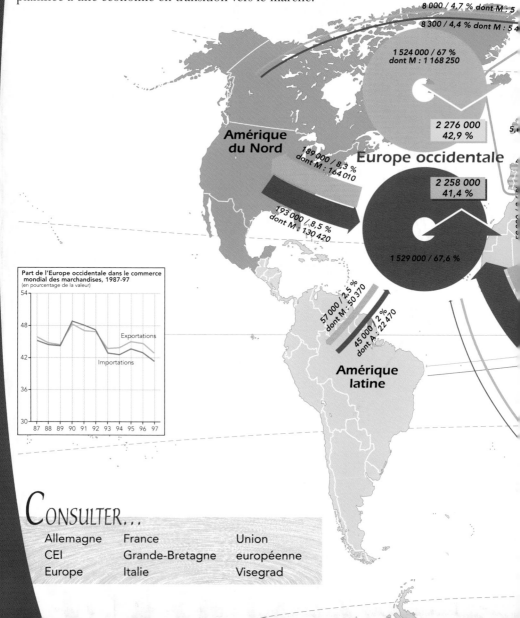

Part de l'Europe occidentale dans le commerce mondial des marchandises, 1987-97
(en pourcentage de la valeur)

Exportations

Importations

8 000 / 4,7 % dont M : 5

8 300 / 4,4 % dont M : 54

1 524 000 / 67 %
dont M : 1 168 250

2 276 000
42,9 %

189 000 / 8,3 %
dont M : 164 010

Amérique du Nord

Europe occidentale

2 258 000
41,4 %

193 000 / 8,5 %
dont M : 130 420

1 529 000 / 67,6 %

57 000 / 2,5 %
dont M : 50 370

45 000 / 2 %
dont A : 22 470

Amérique latine

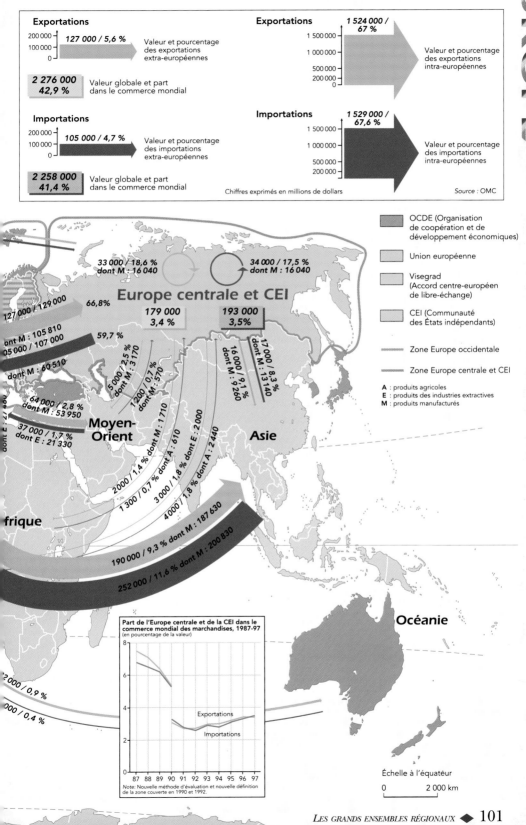

Exportations

200 000 —
100 000 — *127 000 / 5,6 %* → Valeur et pourcentage
0 — des exportations
extra-européennes

**2 276 000
42,9 %** Valeur globale et part
dans le commerce mondial

Exportations *1 524 000 /
67 %*

1 500 000 —
1 000 000 —
500 000 —
200 000 — → Valeur et pourcentage
0 — des exportations
intra-européennes

Importations

200 000 —
100 000 — *105 000 / 4,7 %* → Valeur et pourcentage
0 — des importations
extra-européennes

**2 258 000
41,4 %** Valeur globale et part
dans le commerce mondial

Importations *1 529 000 /
67,6 %*

1 500 000 —
1 000 000 —
500 000 —
200 000 — → Valeur et pourcentage
0 — des importations
intra-européennes

Chiffres exprimés en millions de dollars

Source : OMC

OCDE (Organisation
de coopération et de
développement économiques)

Union européenne

Visegrad
(Accord centre-européen
de libre-échange)

CEI (Communauté
des États indépendants)

Zone Europe occidentale

Zone Europe centrale et CEI

A : produits agricoles
E : produits des industries extractives
M : produits manufacturés

*33 000 / 18,6 %
dont M : 16 040*

*34 000 / 17,5 %
dont M : 16 040*

Europe centrale et CEI

127 000 / 129 000

66,8%

**179 000
3,4 %**

**193 000
3,5%**

*17 000 / 8,3 %
dont M : 13 140*

dont M : 105 810
05 000 / 107 000

59,7 %

*5 000 / 2,5 %
dont M : 3 170*

*1 200 / 0,7 %
dont M : 570*

*16 000 / 9,1 %
dont M : 9 260*

dont M : 60 510

**64 000 / 2,8 %
dont M : 53 950**

**Moyen-
Orient**

dont M : 1 710

Asie

*37 000 / 1,7 %
dont E : 21 330*

dont E : 2 000

dont A : 610

dont A : 2 440

2000 / 1,4 %

1 300 / 0,7 %

3 000 / 1,8 %

4 000 / 1,8 %

frique

190 000 / 9,3 % dont M : 187 630

252 000 / 11,6 % dont M : 200 830

Océanie

2 000 / 0,9 %

000 / 0,4 %

**Part de l'Europe centrale et de la CEI dans le
commerce mondial des marchandises, 1987-97**
(en pourcentage de la valeur)

8

6

4

Exportations

2

Importations

0
87 88 89 90 91 92 93 94 95 96 97

Note: Nouvelle méthode d'évaluation et nouvelle définition
de la zone couverte en 1990 et 1992.

Échelle à l'équateur

0   2 000 km

Densité de la population

La localisation de la population européenne s'explique plus par l'histoire que par la géographie. Certes les vallées fluviales (Rhin, Rhône, Pô, Danube, Elbe, Dniepr, Don, etc.) demeurent densément peuplées, tandis que les plateaux ou les montagnes apparaissent comme des pôles répulsifs. Toutefois, c'est l'activité économique, commerciale, industrielle ou portuaire qui a favorisé la concentration de la population le long des grands axes de développement : la Lotharingie, étendue du bassin de Londres au Latium, l'arc méditerranéen, les ports hanséatiques de la mer du Nord et de la Baltique. Au XXᵉ siècle, le réseau des grandes agglomérations s'est considérablement développé, à mesure que l'urbanisation de l'Europe s'accélérait.

Densités de population
(habitants par km²)

10   50   100   200

Agglomérations supérieures ou
égales à 1 million d'habitants :

— — — 11 millions
— — — 7 millions
— — — 3 millions
— — — 1 million

1 Amsterdam
2 Rotterdam
3 Anvers
4 Düsseldorf
5 Cologne

OCÉAN GLACIAL ARCT

ISLANDE

NORVÈG

MER
DU NORD

ROYAUME-
UNI
Leeds

IRLANDE

Manchester

Birmingham

Hambourg

DANEMARK

PAYS-
BAS

Essen

Francfort

ALLEMAGNE

Stuttgart

Munich

Londres

MANCHE

Lille

BEL
L.

Paris

Bruxelles

OCÉAN
ATLANTIQUE

FRANCE

SUISSE   L.

Lyon

Milan

Porto

Turin

PORTUGAL

ANDORRE

Madrid

MONACO

Marseille

ST-MAR

ITALIE

Barcelone

Lisbonne

ESPAGNE

Valence

Rome

Gibraltar
(R.-U.)

Naples

MER MÉDITERRANÉE

MALTE

CONSULTER...

Allemagne   Grande-Bretagne
Espagne   Italie
France

Cartes Population
La densité de la population
La croissance des villes

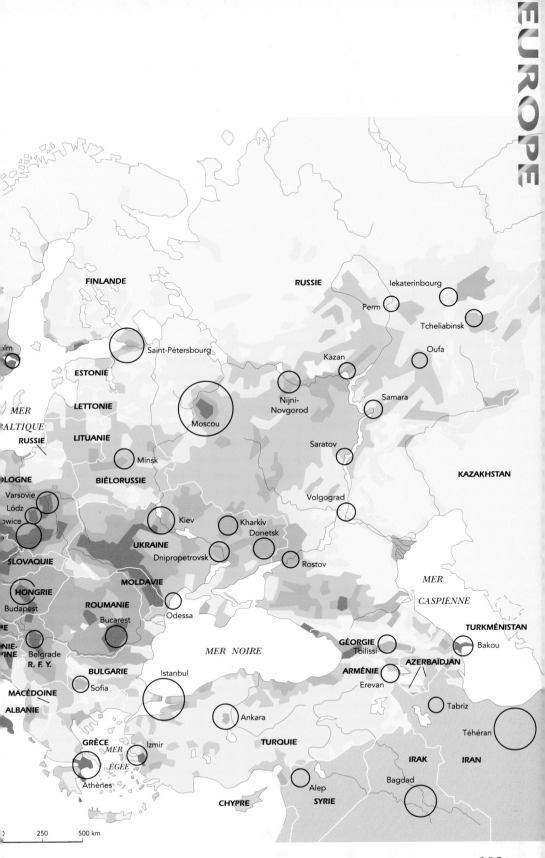

FINLANDE

RUSSIE

Iekaterinbourg

Perm

Tcheliabinsk

Saint-Pétersbourg

Oufa

ESTONIE

Kazan

LETTONIE

Nijni-
Novgorod

Samara

MER
BALTIQUE

Moscou

RUSSIE

Saratov

LITUANIE

Minsk

KAZAKHSTAN

BIÉLORUSSIE

Volgograd

POLOGNE

Varsovie

Lódz

owice

Kiev

a

Kharkiv

Donetsk

SLOVAQUIE

Dnipropetrovsk

UKRAINE

Rostov

MER

HONGRIE

Budapest

MOLDAVIE

CASPIENNE

ROUMANIE

Odessa

Bucarest

TURKMÉNISTAN

E

Bakou

NIE-
VINE

Belgrade
R. F. Y.

MER NOIRE

GÉORGIE

Tbilissi

AZERBAÏDJAN

BULGARIE

Istanbul

ARMÉNIE

MACÉDOINE

Sofia

Erevan

Tabriz

ALBANIE

Ankara

Téhéran

GRÈCE

Izmir

MER

TURQUIE

IRAK

IRAN

ÉGÉE

Bagdad

Athènes

Alep

CHYPRE

SYRIE

250   500 km

Poids et dynamique de la population

Les comportements démographiques traduisent, mieux que les discours politiques, l'identité européenne. La pyramide des âges révèle les classes creuses identiques des deux guerres mondiales (dues à la surmortalité masculine durant les conflits), et de la crise des années 1930, le « baby boom » de l'après-guerre, enfin le recul des naissances depuis 1965. Malgré l'allongement de la durée de la vie, la croissance démographique s'est fortement ralentie en Europe, en raison de la chute de la natalité, même si certains pays de l'Est demeurent un peu plus féconds, tandis que chaque année plus de 400 000 immigrants arrivent d'Asie et d'Afrique. Depuis 1989, plus de 500 000 personnes d'Europe centrale et orientale sont venues s'installer à l'Ouest. La libre circulation des personnes facilite les échanges internes.

Consulter...

Allemagne
Autriche
Espagne
Europe
France
Grande-Bretagne
Grèce
Italie
Pologne

Carte Population
L'évolution de la population

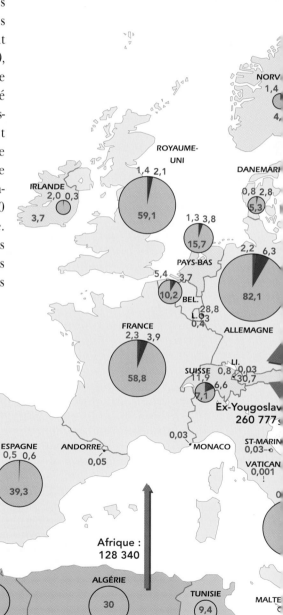

ISLANDE
0,9 0,9
0,3

NORV
1,4
4,

ROYAUME-UNI
1,4 2,1
59,1

DANEMAR
0,8 2,8
5,3

IRLANDE
2,0 0,3
3,7

1,3 3,8
15,7

PAYS-BAS
5,4   3,7
10,2 BEL.
28,8
L.0,3
0,4

2,2   6,3
82,1
ALLEMAGNE

FRANCE
2,3   3,9
58,8

SUISSE 0,8 LI.
11,9   0,03
30,7
7,1   6,6

Ex-Yougoslav
260 777 s

PORTUGAL
0,4 1,2
10

ESPAGNE
0,5 0,6
39,3

ANDORRE
0,05

0,03

MONACO

ST-MARIN
0,03-

VATICAN
0,001

MAROC
27,8

Afrique :
128 340

ALGÉRIE
30

TUNISIE
9,4

MALTE

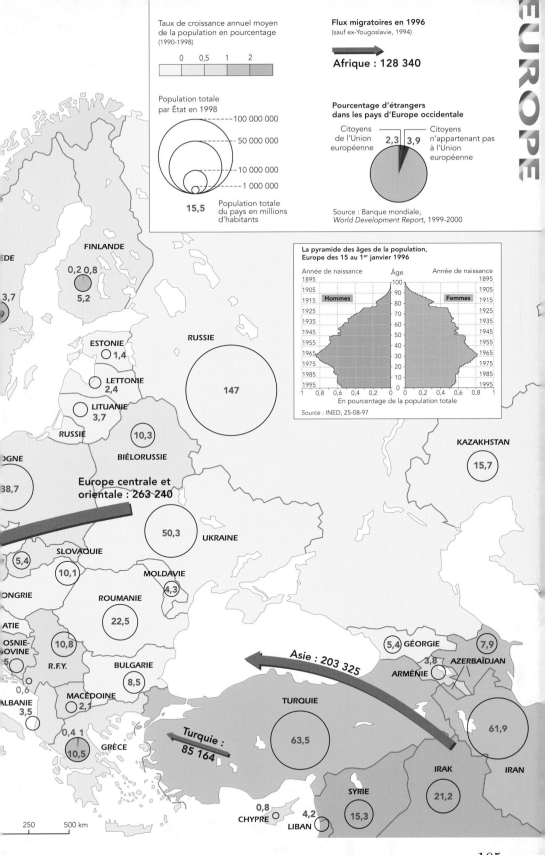

Taux de croissance annuel moyen
de la population en pourcentage
(1990-1998)

0   0,5   1   2

Population totale
par État en 1998

----- 100 000 000

----- 50 000 000

----- 10 000 000

----- 1 000 000

15,5   Population totale
du pays en millions
d'habitants

Flux migratoires en 1996
(sauf ex-Yougoslavie, 1994)

Afrique : 128 340

Pourcentage d'étrangers
dans les pays d'Europe occidentale

Citoyens   Citoyens
de l'Union   2,3 3,9   n'appartenant pas
européenne   à l'Union
                               européenne

Source : Banque mondiale,
World Development Report, 1999-2000

La pyramide des âges de la population,
Europe des 15 au 1er janvier 1996

Année de naissance   Âge   Année de naissance
1895   100   1895
1905   90   1905
1915   Hommes   80   Femmes   1915
1925   70   1925
1935   60   1935
1945   50   1945
1955   40   1955
1965   30   1965
1975   20   1975
1985   10   1985
1995   0   1995

1 0,8 0,6 0,4 0,2   0 0 0,2 0,4 0,6 0,8 1
En pourcentage de la population totale

Source : INED, 25-08-97

FINLANDE
0,2 0,8
5,2

ÈDE
3,7

ESTONIE
1,4

RUSSIE

LETTONIE
2,4

LITUANIE
3,7

RUSSIE

10,3

BIÉLORUSSIE

KAZAKHSTAN
15,7

OGNE
38,7

Europe centrale et
orientale : 263 240

50,3

UKRAINE

5,4

SLOVAQUIE

10,1

MOLDAVIE
4,3

ONGRIE

ROUMANIE
22,5

ATIE

OSNIE-
OVINE
,5

10,8

R.F.Y.

BULGARIE
8,5

0,6

ALBANIE
3,5

MACÉDOINE
2,1

0,4 1

10,5

GRÈCE

Asie : 203 325

Turquie :
85 164

TURQUIE
63,5

5,4 GÉORGIE

3,8

ARMÉNIE

7,9

AZERBAÏDJAN

61,9

IRAN

IRAK
21,2

SYRIE
15,3

0,8

CHYPRE

4,2

LIBAN

IRAN

250   500 km

États, nations et régions en Europe

Organisation des pouvoirs
- États fédéraux
- États décentralisés ou en voie de décentralisation
- États centralisés

Nationalisme
- Revendications nationalistes
- Revendications nationalistes s'accompagnant d'actes de terrorisme

États-nations

Dates de constitution de l'État-nation
1871-1990 (unité nationale fondée sur une organisation étatique et l'accession à l'indépendance)

Fonction publique

Pays où la proportion de fonctionnaires dans la population active est supérieure à 20 %

ISLANDE 1918/1944

FINLANDE 1917

SUÈDE 1523

NORVÈGE 1814-1905

RUSSIE 1533-1613

ESTONIE 1919-1991

LETTONIE 1919-1991

LITUANIE 1919-1991

RUSSIE

BIÉLORUSSIE 1991

Écosse

Irlande du Nord

IRLANDE 1921

ROYAUME-UNI 1650-1707

DANEMARK 1537

PAYS-BAS 1609

Flandre

BELGIQUE 1830

ALLEMAGNE 1871-1990

POLOGNE 1918

L. 1867

UKRAINE 1991

États-nations

FRANCE 1461-1483

LI. 1719

RÉP. TCH. 1993

SLOVAQUIE 1993

MOLDAVIE 1991

SUISSE 1291-1648

AUTRICHE 1867-1919

HONGRIE 1867-1919

Pays basque

SLOVÉNIE 1991

ROUMANIE 1859

CROATIE 1991

Padanie

PORTUGAL 1252

BOSNIE-HERZÉGOVINE 1991

R. F. Y. 1878

BULGARIE 1878

ESPAGNE 1492

Catalogne

ITALIE 1861-1870

Corse

Monténégro

Kosovo

MACÉDOINE 1991

ALBANIE 1912

GRÈCE 1830

TURQUIE 1923

0   250   500 km

CONSULTER...

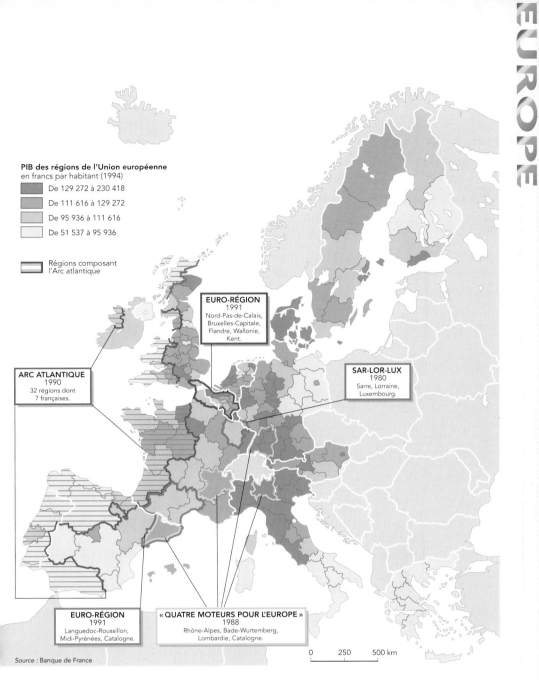

PIB des régions de l'Union européenne
en francs par habitant (1994)

- De 129 272 à 230 418
- De 111 616 à 129 272
- De 95 936 à 111 616
- De 51 537 à 95 936

Régions composant
l'Arc atlantique

EURO-RÉGION
1991
Nord-Pas-de-Calais,
Bruxelles-Capitale,
Flandre, Wallonie,
Kent.

SAR-LOR-LUX
1980
Sarre, Lorraine,
Luxembourg.

ARC ATLANTIQUE
1990
32 régions dont
7 françaises.

EURO-RÉGION
1991
Languedoc-Roussillon,
Midi-Pyrénées, Catalogne.

« QUATRE MOTEURS POUR L'EUROPE »
1988
Rhône-Alpes, Bade-Wurtemberg,
Lombardie, Catalogne.

0   250   500 km

Source : Banque de France

Les nations de la façade atlantique (Portugal, Espagne et France) se sont constituées très tôt, alors que l'Allemagne et l'Italie ont dû attendre le XIXᵉ siècle et l'Europe orientale, le XXᵉ siècle avec l'effondrement des empires turc et russe. La volonté décentralisatrice, qui progresse avec l'idée fédérale européenne, se heurte dans plusieurs États à des revendications nationalistes. L'Union européenne tente de lutter contre les inégalités régionales entre le « Croissant fertile », de Londres à Rome, et les zones périphériques, la richesse variant de un à quatre. Mais seules les deux « Euro-régions », constituées autour d'entités économiques complémentaires et de réseaux de communication modernes, semblent avoir une capacité d'initiative à fort potentiel.

Euro et Schengen

L'Union européenne progresse depuis plus de quarante ans en s'approfondissant et en s'élargissant. Toutefois, les États membres n'adoptent pas un rythme uniforme. Autour du noyau central des neuf pays ayant à la fois ratifié la convention de Schengen sur la libre circulation des personnes à l'intérieur de l'espace européen et adopté l'euro comme monnaie commune au 1er janvier 1999, gravitent les six pays de l'UE qui n'acceptent encore qu'une partie des institutions communes. Les négociations en vue de l'adhésion de la Pologne, de la Hongrie, de la République tchèque, de la Slovénie et de l'Estonie, permettront leur intégration à court terme. La Lettonie, la Lituanie et la Slovaquie suivront sans doute. Ensuite, l'Union est plus réticente à intégrer des États marqués par les religions orthodoxe ou musulmane, qui définissent une fracture culturelle majeure en Europe.

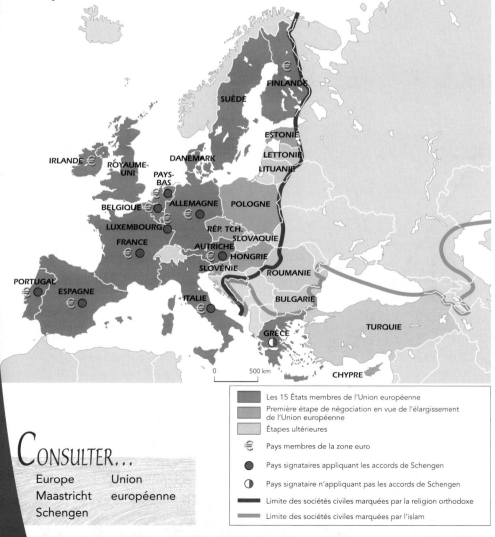

Les 15 États membres de l'Union européenne

Première étape de négociation en vue de l'élargissement de l'Union européenne

Étapes ultérieures

€ Pays membres de la zone euro

● Pays signataires appliquant les accords de Schengen

◑ Pays signataire n'appliquant pas les accords de Schengen

▬ Limite des sociétés civiles marquées par la religion orthodoxe

▬ Limite des sociétés civiles marquées par l'islam

Consulter...

Europe	Union
Maastricht	européenne
Schengen	

La France
L'évolution démographique et sociale

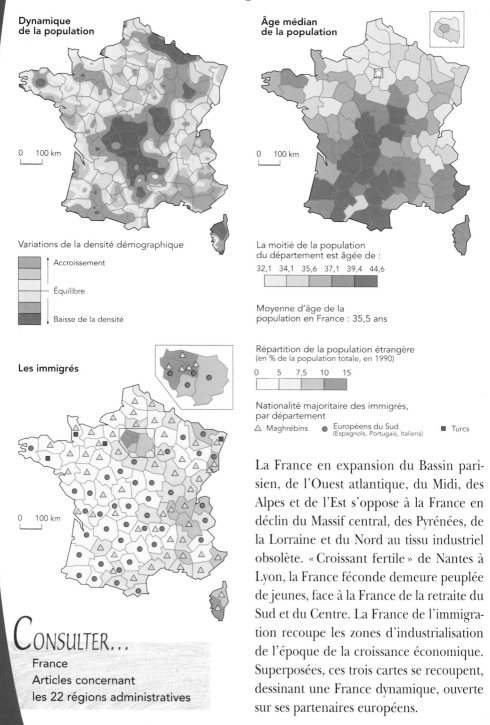

Dynamique de la population

0   100 km

Variations de la densité démographique

↑ Accroissement

Équilibre

↓ Baisse de la densité

Âge médian de la population

0   100 km

La moitié de la population du département est âgée de :

32,1   34,1   35,6   37,1   39,4   44,6

Moyenne d'âge de la population en France : 35,5 ans

Répartition de la population étrangère
(en % de la population totale, en 1990)

0   5   7,5   10   15

Nationalité majoritaire des immigrés, par département

△ Maghrébins   ● Européens du Sud
(Espagnols, Portugais, Italiens)   ■ Turcs

Les immigrés

0   100 km

Consulter...

France
Articles concernant
les 22 régions administratives

La France en expansion du Bassin parisien, de l'Ouest atlantique, du Midi, des Alpes et de l'Est s'oppose à la France en déclin du Massif central, des Pyrénées, de la Lorraine et du Nord au tissu industriel obsolète. « Croissant fertile » de Nantes à Lyon, la France féconde demeure peuplée de jeunes, face à la France de la retraite du Sud et du Centre. La France de l'immigration recoupe les zones d'industrialisation de l'époque de la croissance économique. Superposées, ces trois cartes se recoupent, dessinant une France dynamique, ouverte sur ses partenaires européens.

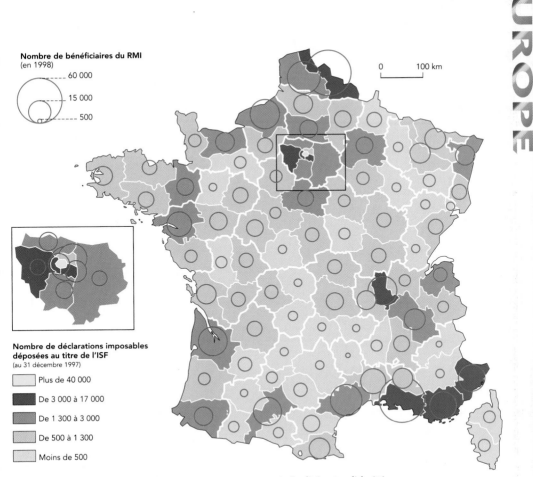

Nombre de bénéficiaires du RMI
(en 1998)

- 60 000
- 15 000
- 500

0   100 km

Nombre de déclarations imposables déposées au titre de l'ISF
(au 31 décembre 1997)

- Plus de 40 000
- De 3 000 à 17 000
- De 1 300 à 3 000
- De 500 à 1 300
- Moins de 500

La carte montrant les bénéficiaires du RMI (instauré en novembre 1988) et les déclarants à l'ISF (impôt sur la fortune) fait apparaître que riches et pauvres vivent dans les mêmes régions, à défaut de fréquenter les mêmes quartiers. Ils sont en effet présents là où l'activité économique reste vive et crée des richesses en attirant des populations fragiles en quête d'insertion. Le chômage est réparti de manière relativement homogène, même si les régions en mutation (Nord, Sud-Est, Ouest) connaissent un taux plus élevé.

C ONSULTER...

France
Haute-Normandie
Ile-de-France

Languedoc-Roussillon
Nord-Pas-de-Calais
Provence-Alpes-Côte d'Azur

Inégalités et solidarité

Le taux de chômage

0   100 km

Taux de chômage par région
(en % de la population active, en 1999)

10   11,75   14

La Belgique

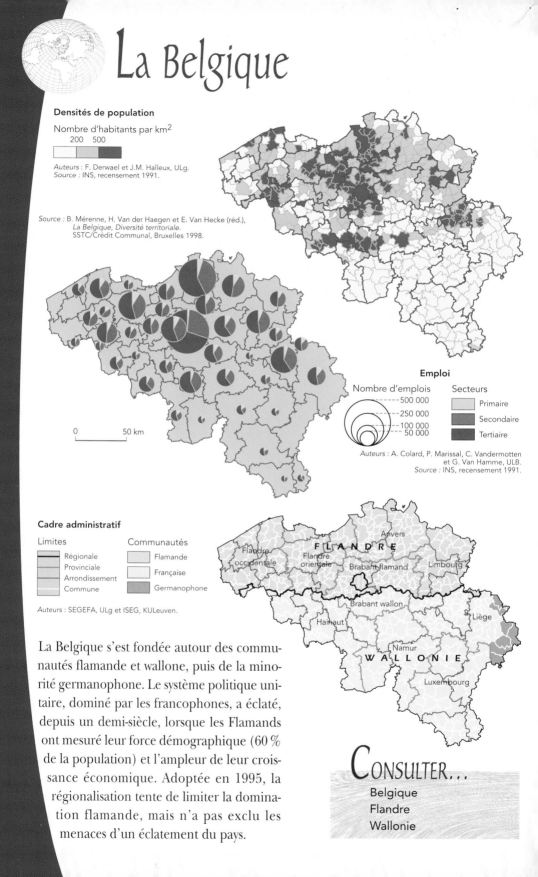

Densités de population

Nombre d'habitants par km²

200 500

Auteurs : F. Derwael et J.M. Halleux, ULg.
Source : INS, recensement 1991.

Source : B. Mérenne, H. Van der Haegen et E. Van Hecke (réd.),
La Belgique, Diversité territoriale.
SSTC/Crédit Communal, Bruxelles 1998.

0   50 km

Emploi

Nombre d'emplois

500 000
250 000
100 000
50 000

Secteurs

Primaire
Secondaire
Tertiaire

Auteurs : A. Colard, P. Marissal, C. Vandermotten
et G. Van Hamme, ULB.
Source : INS, recensement 1991.

Cadre administratif

Limites

Régionale
Provinciale
Arrondissement
Commune

Communautés

Flamande
Française
Germanophone

Auteurs : SEGEFA, ULg et ISEG, KULeuven.

Flandre
occidentale
Flandre
orientale
F L A N D R E
Anvers
Brabant flamand
Limbourg
Brabant wallon
Haineut
Liège
Namur
W A L L O N I E
Luxembourg

La Belgique s'est fondée autour des communautés flamande et wallone, puis de la minorité germanophone. Le système politique uni-
taire, dominé par les francophones, a éclaté,
depuis un demi-siècle, lorsque les Flamands
ont mesuré leur force démographique (60 %
de la population) et l'ampleur de leur croissance économique. Adoptée en 1995, la
régionalisation tente de limiter la domina-
tion flamande, mais n'a pas exclu les
menaces d'un éclatement du pays.

CONSULTER...

Belgique
Flandre
Wallonie

La Suisse

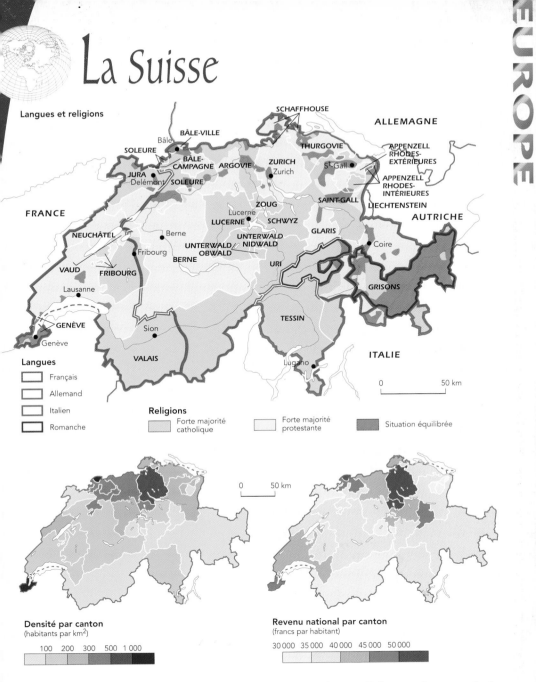

Langues et religions

SCHAFFHOUSE
ALLEMAGNE
BÂLE-VILLE
Bâle
SOLEURE
BÂLE-CAMPAGNE ARGOVIE
THURGOVIE
APPENZELL RHODES-EXTÉRIEURES
ZURICH
Zurich
St-Gall
JURA
Delémont SOLEURE
APPENZELL RHODES-INTÉRIEURES
SAINT-GALL
ZOUG
LIECHTENSTEIN
Lucerne
LUCERNE SCHWYZ
FRANCE
NEUCHÂTEL
Berne
GLARIS
AUTRICHE
UNTERWALD NIDWALD
Coire
Fribourg
UNTERWALD OBWALD
VAUD
FRIBOURG
BERNE
URI
GRISONS
Lausanne
GENÈVE
Sion
TESSIN
ITALIE
Genève
VALAIS
Lugano

0   50 km

Langues
- Français
- Allemand
- Italien
- Romanche

Religions
- Forte majorité catholique
- Forte majorité protestante
- Situation équilibrée

Densité par canton (habitants par km²)
100 200 300 500 1 000

0   50 km

Revenu national par canton (francs par habitant)
30 000 35 000 40 000 45 000 50 000

CONSULTER...

Suisse
Articles concernant les vingt six cantons

Avec quatre langues, deux religions et le quart de la population active constituée d'étrangers, la Suisse aurait pu connaître des conflits internes. Mais il n'en a rien été grâce à un neutralisme et un fédéralisme anciens et une économie intense, jadis agricole et artisanale, qui a construit une industrie forte et des services performants. Toutefois, des inégalités persistent entre les cantons les plus riches (Zurich, Genève, Bâle) et ceux demeurant plus traditionnels (Valais, Jura).

Le Royaume-Uni
Les disparités économiques régionales

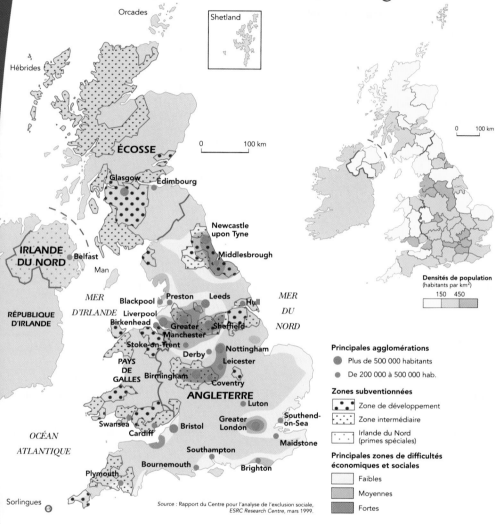

Orcades

Shetland

Hébrides

ÉCOSSE

Glasgow · Édimbourg

Newcastle
upon Tyne

IRLANDE
DU NORD · Belfast · Middlesbrough

Man

MER
D'IRLANDE

Blackpool · Preston · Leeds · Hull

MER
DU
NORD

RÉPUBLIQUE
D'IRLANDE

Liverpool
Birkenhead

Greater · Sheffield
Manchester

Stoke-on-Trent

Derby · Nottingham

PAYS
DE
GALLES · Birmingham · Leicester

Coventry

ANGLETERRE

Luton

Swansea

Cardiff · Bristol

Greater
London

Southend-
on-Sea

OCÉAN
ATLANTIQUE

Maidstone

Southampton

Bournemouth

Brighton

Plymouth

Sorlingues

Source : Rapport du Centre pour l'analyse de l'exclusion sociale,
ESRC Research Centre, mars 1999.

Densités de population
(habitants par km²)

150   450

Principales agglomérations

● Plus de 500 000 habitants

● De 200 000 à 500 000 hab.

Zones subventionnées

Zone de développement

Zone intermédiaire

Irlande du Nord
(primes spéciales)

Principales zones de difficultés
économiques et sociales

Faibles

Moyennes

Fortes

0   100 km

Depuis vingt ans, l'évolution du Royaume-Uni vers une économie de services s'est accélérée. De plus en plus prépondérants, ils sont à l'origine d'une croissance très vive, mais les lacunes de l'adaptation anglaise marquent le pays : les régions industrielles des Midlands (Birmingham), de la Merseyside (Liverpool-Manchester) ou de la Tyneside (Newcastle) demeurent en conversion permanente, et le quart de la population britannique vit avec un revenu inférieur au seuil de pauvreté.

Consulter...

Birmingham   Manchester
Grande-Bretagne   Merseyside
Liverpool

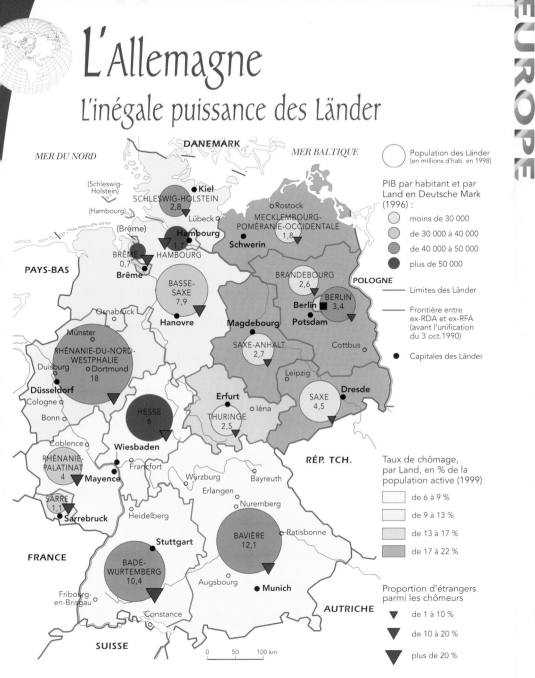

L'Allemagne
L'inégale puissance des Länder

MER DU NORD

DANEMARK

MER BALTIQUE

Population des Länder
(en millions d'hab. en 1998)

PIB par habitant et par
Land en Deutsche Mark
(1996) :

moins de 30 000

de 30 000 à 40 000

de 40 000 à 50 000

plus de 50 000

Limites des Länder

Frontière entre
ex-RDA et ex-RFA
(avant l'unification
du 3 oct.1990)

Capitales des Länder

(Schleswig-
Holstein)

● Kiel

SCHLESWIG-HOLSTEIN
2,8

● Lübeck

(Hambourg)

○ Rostock

MECKLEMBOURG-
POMÉRANIE-OCCIDENTALE
1,8

Hambourg
1,7

● Schwerin

(Brême)

BRÊME
0,7

HAMBOURG

PAYS-BAS

Brême

BASSE-
SAXE
7,9

BRANDEBOURG
2,6

POLOGNE

○ Osnabrück

Berlin ■

BERLIN
3,4

Hanovre

Magdebourg

Potsdam

Münster ○

SAXE-ANHALT
2,7

Cottbus ○

RHÉNANIE-DU-NORD-
WESTPHALIE
18

Duisburg ○

○ Dortmund

Leipzig ○

Düsseldorf ●

Cologne ○

Bonn ○

HESSE
6

Erfurt

○ Iéna

THURINGE
2,5

SAXE
4,5

Dresde

Coblence ○

Wiesbaden ●

RÉP. TCH.

Taux de chômage,
par Land, en % de la
population active (1999)

de 6 à 9 %

de 9 à 13 %

de 13 à 17 %

de 17 à 22 %

RHÉNANIE-
PALATINAT
4

● Francfort

Mayence

Würzburg ○

Bayreuth ○

Erlangen ○

SARRE
1,1

○ Nuremberg

● Sarrebruck

Heidelberg ○

Stuttgart ●

BAVIÈRE
12,1

○ Ratisbonne

FRANCE

BADE-
WURTEMBERG
10,4

Augsbourg ○

● Munich

AUTRICHE

Fribourg-
en-Brisgau ○

Proportion d'étrangers
parmi les chômeurs

de 1 à 10 %

○ Constance

de 10 à 20 %

SUISSE

0   50   100 km

plus de 20 %

En dépit des difficultés de la réunification, l'Allemagne reste la première puissance continentale. Les différences demeurent importantes entre les régions plus riches (Hesse, Bavière, Bade-Wurtemberg) et l'ex-Allemagne de l'Est dont le taux de chômage est deux fois plus élevé. En revanche, le taux d'étrangers parmi les chômeurs est plus fort à l'Ouest, parce que l'immigration, beaucoup plus ancienne, a joué un rôle d'amortisseur de la crise, qu'elle n'a pu avoir à l'Est.

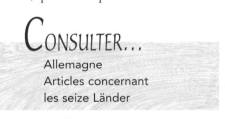

Consulter...

Allemagne
Articles concernant
les seize Länder

Europe centrale et orientale
L'évolution de la Yougoslavie

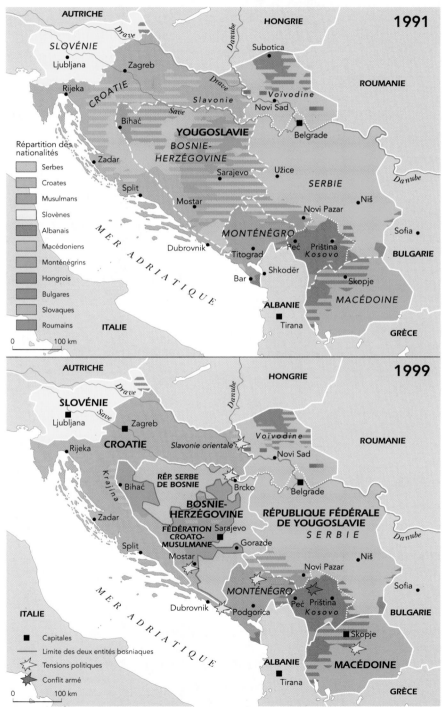

1991

AUTRICHE

SLOVÉNIE
Ljubljana

Drave

HONGRIE

Danube

Subotica

Zagreb

Rijeka

CROATIE

Drave

Slavonie

Voïvodine

Novi Sad

ROUMANIE

Save

Bihać

YOUGOSLAVIE

Belgrade

Répartition des nationalités

- Serbes
- Croates
- Musulmans
- Slovènes
- Albanais
- Macédoniens
- Monténégrins
- Hongrois
- Bulgares
- Slovaques
- Roumains

Zadar

BOSNIE-HERZÉGOVINE

Sarajevo

Užice

SERBIE

Danube

Split

Mostar

Novi Pazar

Niš

MONTÉNÉGRO

Sofia

MER ADRIATIQUE

Dubrovnik

Titograd

Peć

Priština
Kosovo

BULGARIE

Shkodër

Bar

Skopje

ALBANIE

MACÉDOINE

ITALIE

Tirana

GRÈCE

0 100 km

AUTRICHE

Drave

HONGRIE

Danube

1999

SLOVÉNIE
Ljubljana

Save

Zagreb

Rijeka

CROATIE

Slavonie orientale

Voïvodine

Novi Sad

ROUMANIE

Krajina

Bihać

RÉP. SERBE
DE BOSNIE

Brčko

Belgrade

Zadar

BOSNIE-HERZÉGOVINE

FÉDÉRATION
CROATO-MUSULMANE

Sarajevo

Gorazde

RÉPUBLIQUE FÉDÉRALE
DE YOUGOSLAVIE
SERBIE

Danube

Split

Mostar

Novi Pazar

Niš

MER ADRIATIQUE

MONTÉNÉGRO

Sofia

Dubrovnik

Podgorica

Peć

Priština
Kosovo

BULGARIE

ITALIE

Skopje

- ■ Capitales
- —— Limite des deux entités bosniaques
- ✩ Tensions politiques
- ✦ Conflit armé

ALBANIE

MACÉDOINE

Tirana

GRÈCE

0 100 km

Le bassin méditerranéen
Flux économiques et migratoires

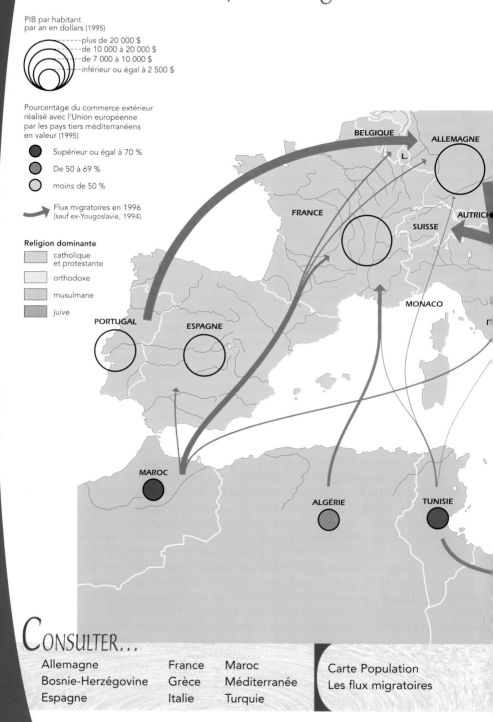

PIB par habitant
par an en dollars (1995)

- plus de 20 000 $
- de 10 000 à 20 000 $
- de 7 000 à 10 000 $
- inférieur ou égal à 2 500 $

Pourcentage du commerce extérieur
réalisé avec l'Union européenne
par les pays tiers méditerranéens
en valeur (1995)

- Supérieur ou égal à 70 %
- De 50 à 69 %
- moins de 50 %

Flux migratoires en 1996
(sauf ex-Yougoslavie, 1994)

Religion dominante

- catholique et protestante
- orthodoxe
- musulmane
- juive

BELGIQUE

ALLEMAGNE

L.

FRANCE

AUTRICH

SUISSE

MONACO

PORTUGAL

ESPAGNE

MAROC

ALGÉRIE

TUNISIE

La Méditerranée est devenue au XXᵉ siècle l'interface entre le monde riche et développé et le monde en voie de développement. La frontière invisible entre riches et pauvres s'est progressivement déplacée vers le Sud : l'Italie et l'Espagne, dont les populations naguère encore migraient vers le Nord de l'Europe sont devenues des pays d'accueil. Les Portugais et les Grecs à leur tour cessent d'émigrer, tandis que les Turcs, en élevant leur niveau de vie, ralentissent les départs. Toutefois, l'instabilité dans les Balkans menace de retarder durablement le lent processus d'intégration du Sud de l'Europe.

Russie
et ex-URSS

Caucase et Caspienne
Les gisements pétroliers

Cinq États se partagent les champs pétrolifères des rivages de la mer Caspienne : Russie, Azerbaïdjan, Kazakhstan, Turkménistan et Iran. Pour transporter la production d'hydrocarbures vers les pays développés, en contournant la zone à risques de l'Irak et du golfe Persique, les États et les compagnies pétrolières occidentales projettent de construire des oléoducs à travers le Caucase et la Russie vers la Méditerranée ou la mer Noire, vers la Chine à travers les steppes d'Asie centrale ou encore vers le Pakistan à travers l'Afghanistan. La réalisation de chacun de ces projets se heurte à des difficultés techniques, pour franchir des montagnes ou des déserts, et politiques, pour traverser des zones de guerre civile endémique (Kurdistan, Caucase, Afghanistan). La perspective des profits de l'or noir rend la solution des conflits encore plus ardue.

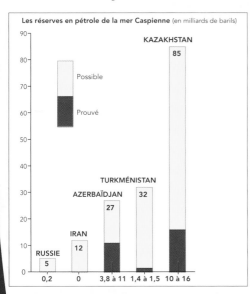

Les réserves en pétrole de la mer Caspienne (en milliards de barils)

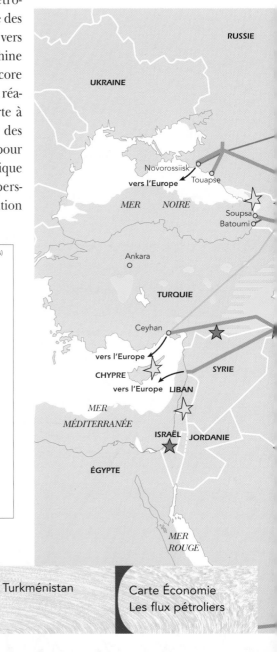

Consulter...

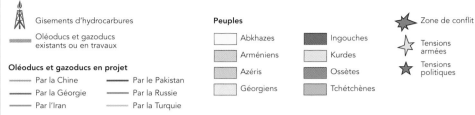

Gisements d'hydrocarbures

Oléoducs et gazoducs existants ou en travaux

Oléoducs et gazoducs en projet

Par la Chine
Par la Géorgie
Par l'Iran
Par le Pakistan
Par la Russie
Par la Turquie

Peuples

Abkhazes
Arméniens
Azéris
Géorgiens
Ingouches
Kurdes
Ossètes
Tchétchènes

Zone de conflit

Tensions armées

Tensions politiques

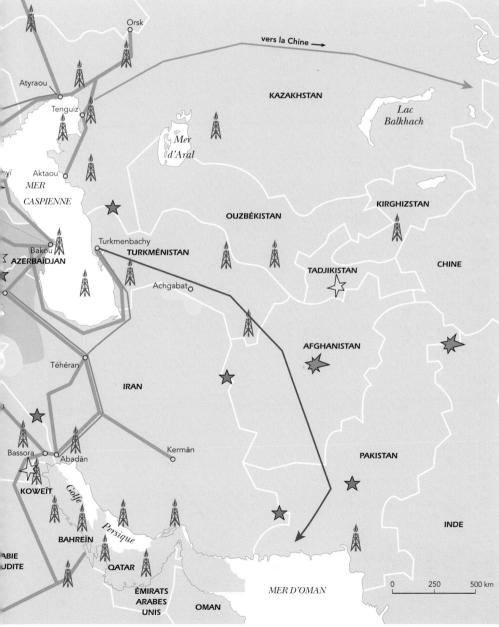

Orsk

vers la Chine →

Atyraou

Tenguiz

KAZAKHSTAN

Lac Balkhach

Mer d'Aral

Aktaou

MER CASPIENNE

KIRGHIZSTAN

OUZBÉKISTAN

Bakou

Turkmenbachy

AZERBAÏDJAN

TURKMÉNISTAN

Achgabat

TADJIKISTAN

CHINE

Téhéran

AFGHANISTAN

IRAN

Bassora

Abadān

Kermān

PAKISTAN

KOWEÏT

Golfe

Persique

BAHREÏN

INDE

ABIE UDITE

QATAR

ÉMIRATS ARABES UNIS

OMAN

MER D'OMAN

0   250   500 km

Peuplement de la Russie et de l'ex-URSS

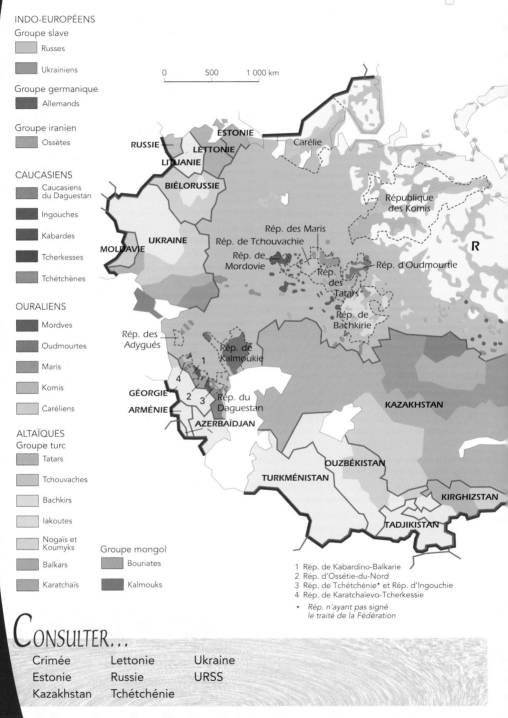

INDO-EUROPÉENS

Groupe slave
- Russes
- Ukrainiens

Groupe germanique
- Allemands

Groupe iranien
- Ossètes

CAUCASIENS
- Caucasiens du Daguestan
- Ingouches
- Kabardes
- Tcherkesses
- Tchétchènes

OURALIENS
- Mordves
- Oudmourtes
- Maris
- Komis
- Caréliens

ALTAÏQUES

Groupe turc
- Tatars
- Tchouvaches
- Bachkirs
- Iakoutes
- Nogaïs et Koumyks
- Balkars
- Karatchaïs

Groupe mongol
- Bouriates
- Kalmouks

0   500   1 000 km

ESTONIE
RUSSIE
LETTONIE
LITUANIE
BIÉLORUSSIE
Carélie
République des Komis
R
UKRAINE
MOLDAVIE
Rép. des Maris
Rép. de Tchouvachie
Rép. de Mordovie
Rép. des Tatars*
Rép. d'Oudmourtie
Rép. de Bachkirie
Rép. des Adygués
Rép. de Kalmoukie
GÉORGIE
ARMÉNIE
Rép. du Daguestan
AZERBAÏDJAN
KAZAKHSTAN
OUZBÉKISTAN
TURKMÉNISTAN
KIRGHIZSTAN
TADJIKISTAN

1 Rép. de Kabardino-Balkarie
2 Rép. d'Ossétie-du-Nord
3 Rép. de Tchétchénie* et Rép. d'Ingouchie
4 Rép. de Karatchaïevo-Tcherkessie

* Rép. n'ayant pas signé le traité de la Fédération

Consulter...

Crimée
Estonie
Kazakhstan
Lettonie
Russie
Tchétchénie
Ukraine
URSS

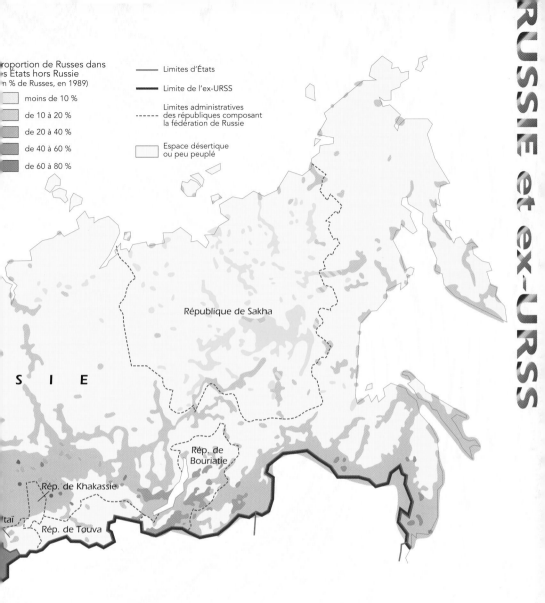

Proportion de Russes dans
les États hors Russie
(en % de Russes, en 1989)

moins de 10 %

de 10 à 20 %

de 20 à 40 %

de 40 à 60 %

de 60 à 80 %

——— Limites d'États

▬▬▬ Limite de l'ex-URSS

- - - - Limites administratives
des républiques composant
la fédération de Russie

Espace désertique
ou peu peuplé

République de Sakha

S I E

Rép. de
Bouriatie

Rép. de Khakassie

taï

Rép. de Touva

La dissolution de l'empire soviétique a laissé la place à une mosaïque de peuplement dominée par la population russe. L'URSS, et avant elle l'empire tsariste, avaient en effet inauguré une politique de russification des territoires conquis et de mise en tutelle des peuples minoritaires. Ainsi, les quinze républiques fédérées de l'URSS, qui depuis 1991 sont des États indépendants, comptent toutes dans leur population une forte minorité de Russes, dont la soumission aux anciens colonisés pose problème, particulièrement en Lettonie, en Estonie, en Ukraine (Crimée) et dans le nord du Kazakhstan. Les minorités nationales de la Russie revendiquent à leur tour une plus grande autonomie ou leur indépendance, parfois les armes à la main, comme en Tchétchénie.

Océanie

L'Océanie dans le monde

Avec seulement 0,3 % de la population mondiale, le moins peuplé des continents commence à manifester sa présence dans le commerce international (1,5 % des échanges). L'Australie et la Nouvelle-Zélande ont en effet su diversifier leurs relations économiques, longtemps centrées sur l'ancienne métropole coloniale britannique, pour accroître leurs échanges avec la zone du Sud-Est asiatique à laquelle ils fournissent principalement des matières premières minières et alimentaires mais également de plus en plus de produits manufacturés. Relativement peu affectés par la crise asiatique, les échanges entre l'Océanie et l'Asie continuent de se développer.

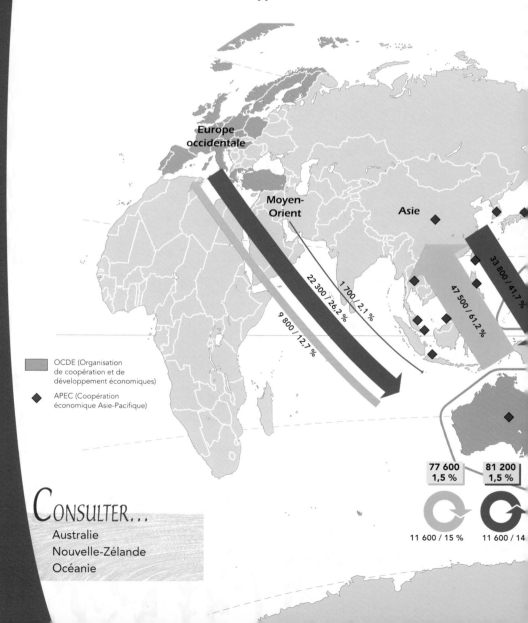

Europe occidentale

Moyen-Orient

Asie

22 300 / 26,2 %

1 700 / 2,1 %

9 800 / 12,7 %

33 800 / 41,7 %

47 500 / 61,2 %

OCDE (Organisation de coopération et de développement économiques)

APEC (Coopération économique Asie-Pacifique)

77 600
1,5 %

81 200
1,5 %

11 600 / 15 %

11 600 / 14

Consulter...

Australie
Nouvelle-Zélande
Océanie

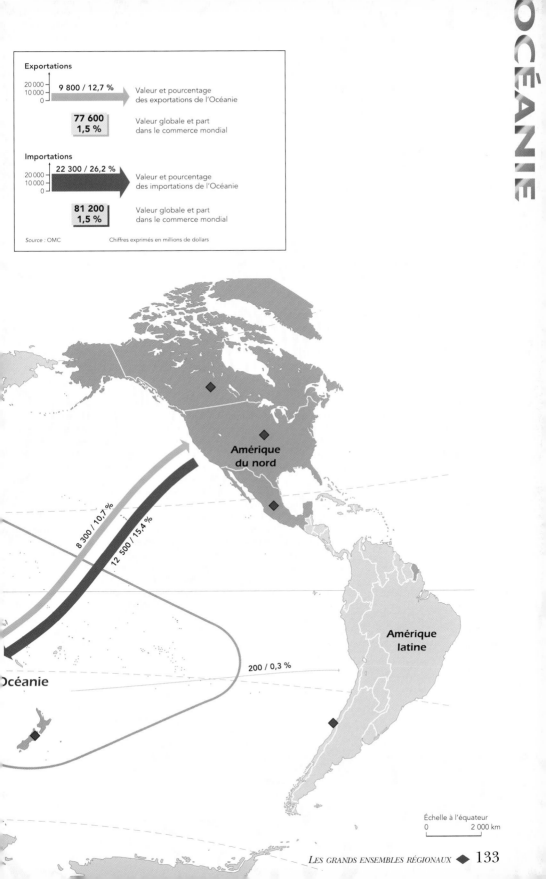

Exportations

20 000
10 000
0

9 800 / 12,7 % → Valeur et pourcentage
des exportations de l'Océanie

77 600
1,5 %

Valeur globale et part
dans le commerce mondial

Importations

22 300 / 26,2 % → Valeur et pourcentage
des importations de l'Océanie

20 000
10 000
0

81 200
1,5 %

Valeur globale et part
dans le commerce mondial

Source : OMC   Chiffres exprimés en millions de dollars

Amérique
du nord

8 300 / 10,7 %

12 500 / 15,4 %

Amérique
latine

200 / 0,3 %

Océanie

Échelle à l'équateur
0   2 000 km

Table des cartes

LE MONDE EN QUESTIONS

LES GRANDS ENSEMBLES RÉGIONAUX

AFRIQUE

ASIE

AMÉRIQUE

EUROPE

N° d'éditeur : 10076926 - (I) - (50) - CSBTS 135 – Dépôt légal : août 2000
Impression et reliure : Pollina s.a., 85400 Luçon - n° L 81109